ARQUITECTURA LIMPIA

Guía completa para principiantes Aprende todo sobre las estructuras de software utilizando los principios de la arquitectura limpia

WILLIAM VANCE

© Copyright 2019 por William Vance – todos los derechos reservados.

Este documento está orientado a proporcionar información exacta y fiable con respecto al tema y la cuestión tratados. La publicación se vende con la idea de que el editor no está obligado a prestar servicios contables, oficialmente permitidos o calificados. Si el asesoramiento es necesario, legal o profesional, se debe ordenar a una persona ejercida en la profesión.

- De una Declaración de Principios que fue aceptada y aprobada por igual por un Comité de la Asociación Americana de Abogados y un Comité de Editores y Asociaciones.

En modo alguno es legal reproducir, duplicar o transmitir ninguna parte de este documento en formato electrónico o impreso. La grabación de esta publicación está estrictamente prohibida, y no se permite ningún almacenamiento de este documento a menos que con permiso por escrito del editor. Todos los derechos reservados.

La información proporcionada en este documento se declara veraz y consistente, en el sentido de que cualquier responsabilidad, en términos de falta de atención o de otra manera, por cualquier uso o abuso de cualquier política, proceso o dirección contenida en el interior es la responsabilidad solitaria y absoluta de la lector de destinatarios. Bajo ninguna circunstancia se tendrá ninguna responsabilidad legal o culpa contra el editor por cualquier reparación, daño o pérdida monetaria debido a la información aquí contenida, ya sea directa o indirectamente.

Los autores respetuosos son propietarios de todos los derechos de autor no en poder del editor.

La información aquí contenida se ofrece únicamente con fines informativos y es universal. La presentación de la información es sin contrato ni ningún tipo de garantía.

Las marcas comerciales que se utilizan son sin ningún consentimiento, y la publicación de la marca es sin permiso o respaldo por el propietario de la marca. Todas las marcas comerciales y marcas de este libro son sólo para fines clarificadores y son propiedad de los propios propietarios, no están afiliados a este documento.

Tabla de Contenidos

Introducción 1

Capítulo 1: Definición de la Arquitectura Limpia 3

El objetivo 4

Comportamiento 5

Arquitectura 5

El mayor valor 6

Lucha por la Arquitectura 8

Capítulo 2: Paradigma de Programación 9

Programación estructurada 10

Programación orientada a objetos (OOP) 11

Programación funcional 11

Descripción general del paradigma: Programación estructurada 12

Descripción general del paradigma: Programación orientada a objetos 14

Paradigma de programación: Programación funcional 17

Principios de diseño 18

Capítulo 3: Principios de Responsabilidad Única 21
Síntomas de violación de SRP 22
Soluciones a estos problemas (violaciones) 25
OCP – Principio Abierto Cerrado 25
LSP: Principio de sustitución de Liskov 30
ISP: El principio de segregación de la interfaz 35
ODP: Principio de inversión de dependencia 38
Capítulo 4: Principios de Componentes 43
Componentes: la definición 43
Breve historia de componentes 44
Enlaces 48
Capítulo 5: Cohesión de Componentes 51
¿Qué es la cohesión de componentes? 51
El principio de equivalencia de reutilización/liberación 52
El Principio Común de Cierre 54
El principio común de reutilización 56
Acoplamiento de componentes 59
La construcción semanal 60
El principio de dependencias estables 63
El principio de abstracciones estables 68
Capítulo 6: Arquitectura 71
¿Qué es la arquitectura? 71
Desarrollo 73
Despliegue 74
Operación 75

Mantenimiento..76
Valores de software...76
Capítulo 7: Independencia del Software..................................80
Los casos del sistema...80
Funcionamiento del Sistema..81
Capítulo 8: Límites de software...89
Cómo dibujar límites y cuándo dibujarlo....................................90
Entrada y salida..91
Arquitectura de plugins..91
El argumento de los plugins..92
Capítulo 9: Anatomía de un Límite...94
Tipos de límites...95
Capítulo 10: Políticas de Software y Niveles............................100
Política...100
Nivel..101
Capítulo 11: Reglas de Negocio de Software............................103
Reglas de negocio..103
Entidad...104
Capítulo 12: Arquitectura Screaming.......................................108
¿Qué son los marcos de software?...109
Capítulo 13: Arquitectura Limpia..111
La regla de dependencia...111
Los presentadores y las opiniones..114
Capítulo 14: Capas y límites de software.................................116

Capítulo 15: El límite y los servicios de la prueba 119

¿Las pruebas forman parte de los componentes del sistema?119

Estructurado para la capacidad de la estabilidad 120

Acoplamiento estructural 122

Servicios 124

Capítulo 16: La base de datos de software 126

Base de datos relacional 127

Sistemas de archivos 129

Capítulo 17: La Web y los Marcos 132

Marcos 135

Capítulo 18: Paquete 140

Paquete por capa 140

Paquete por característica 142

Paquete por componente 145

Detalles de la implementación 149

Otros modos de desacoplamiento 150

Conclusión 153

Recursos 155

Introducción

Casi cualquiera puede aprender a codificar. En 2016, una niña de ocho años diseñó un sitio web de juegos de mesa con su conocimiento de cómo programar. La programación no necesita un alto nivel de cociente de inteligencia. Siempre y cuando tengas una idea de cómo resolver un problema, puedes programar. Python, un lenguaje de programación de movimiento rápido, está escrito en el idioma inglés.

Recientemente, ha habido un aumento en el número de personas interesadas en la programación. Algunas de las plataformas disponibles para aprender incluyen Udemy, Edx, y muchas más. De una forma u otra, las personas que aprenden en estas plataformas han sido capaces de escribir códigos que están trabajando y resolviendo problemas. Escribir un código que funciona es otro problema por completo, ya que es posible escribir códigos perfectos que no resolverán el problema objetivo.

La codificación requiere disciplina y compromiso. La mayoría de las personas interesadas en aprender a programar no cumplen con este requisito porque sólo están interesadas en ganar dinero. Por lo tanto, buscan accesos directos que les enseñen a codificar en un corto período de tiempo. Sin disciplina y compromiso, aprender a codificar será difícil ya que nunca terminas de aprender a codificar – los métodos más nuevos de escribir programas se están descubriendo todos los días. Y un buen programador comprometido siempre buscará mejores y más modernas formas de resolver un problema.

Este libro le iluminará sobre cómo crear una excelente estructura de software. Pero antes de poder disfrutar de esto, debes tener pasión por el aprendizaje y debes estar comprometido con el proceso de aprendizaje. Esto básicamente significa que debe estar listo para aprender, aprender y volver a aprender. Este libro no va a realizar milagros, pero te guiará a algo verdaderamente mágico. Crear software que funcione con defectos mínimos es sensacional. Una vez que consigas la nave, serás un maestro en el arte de construir software.

Cuando haya terminado con este libro, su software necesita que lo mantenga. El software será susceptible a cambios. Estos cambios son rápidos. Al mantener su software, usted tiene que asegurarse de que los errores son pocos - entonces la funcionalidad y flexibilidad de su software se maximizará.

El libro, al ser una guía brillante, mostrará los efectos de los principios de la arquitectura limpia en los reinos de las estructuras de software. Le mostrará cómo entender las estructuras de software utilizando principios de arquitectura limpia. El diseño y la arquitectura hacen que el software sea fácil de escribir y mantener.

Capítulo 1

Definición de la Arquitectura Limpia

A lo largo de los años, los programadores se han confundido con el concepto de diseño y arquitectura. Incluso la gente normal confunde estas terminologías. Ya se están haciendo preguntas: ¿Qué es el diseño? ¿Qué es la arquitectura? ¿Hay alguna diferencia entre ellos?

Cálmate; se le iluminará sobre las terminologías. Para la clarificación, no hay diferencia significativa entre el diseño y la arquitectura. El término "arquitectura" simplemente implica algo en una etapa alta que está separado de los detalles del nivel inferior. Por otro lado, el diseño se ocupa de las estructuras y decisiones tomadas a un nivel inferior.

Por ejemplo, cuando entras en una casa por primera vez. Muchos pensamientos correrán a través de tu mente; uno de ellos será sobre el diseño / arquitectura de la casa. ¿Cuál es la arquitectura de esta casa? La arquitectura es la forma del hogar, las elevaciones y la apariencia. También incluye la disposición y estructura de los espacios y habitaciones. Estos son los detalles de alto nivel. Además, los detalles de bajo nivel de la casa incluyen una toma de corriente, interruptor de luces, donde se colocarán las luces, la colocación del horno y el tamaño de la colocación. La colocación del calentador de agua y la bomba de sumidero también se considerarán. Todos estos detalles de bajo nivel serán considerados cuando se esté construyendo la casa.

Con ese ejemplo, ahora debe comprender que los detalles de bajo nivel admiten los detalles de alto nivel. La colocación de la salida y otros determinarán el diseño y la estructura de la casa. Estos dos tipos de detalles se unen para formar arquitectura y diseño. Este mismo análisis va para el diseño de software. Los detalles de alto nivel y los detalles de bajo nivel se consideran en su conjunto.

El objetivo

Tiene que haber un objetivo detrás de todas estas decisiones. ¿Cuál es el objetivo de un buen diseño de software? La respuesta se ha ilustrado en el ejemplo anterior. El objetivo principal de un buen diseño de software es reducir la necesidad humana de crear y mantener un sistema requerido. Un buen diseño de software es un diseño en el que se requiere un bajo esfuerzo para satisfacer las necesidades del cliente. En este escenario, todos serán felices.

Todos los paquetes de software ofrecen dos valores a los usuarios que son el comportamiento y la *arquitectura.* La mayoría de los desarrolladores carecen de incorporar los dos valores. O descuidan un valor o terminan produciendo software con baja calidad o los dos.

Comportamiento

Lo primero que hay que ver en un sistema de software es su comportamiento. Por ejemplo, algunos clientes emplean a un programador para crear software que transfiera dinero en efectivo. Dicho programa tendrá una especificación funcional y requerirá que el cliente cargue algunos documentos antes de que la transferencia pueda tener lugar. Para ejecutar esto, el código escrito tiene que satisfacer los requisitos del cliente. Cuando el cliente infringe los requisitos, el programa se detiene, lo que requiere que un programador depure el código y corrija los errores.

La mayoría de los programadores piensan que el trabajo es enteramente sobre eso. Creen que el trabajo es hacer que el sistema implemente las necesidades de los clientes y corrija los errores.

Arquitectura

Es imposible hablar de arquitectura sin mencionar el software. El software es una amalgama de *software* y *ware. Ware* significa 'producto' o 'mercancía' y la palabra *suave...* Existe el término que usaremos para definir la arquitectura.

El software está destinado a ser fácil. El aspecto suave del software se ocupa de la susceptibilidad a los cambios de comportamiento. Si el software no es suave, habrá un gran problema. No habrá una vía para cambiar un componente o solucionar el problema. Por ejemplo, hubo un juego de fútbol móvil que fue lanzado en 2017. El software tenía errores; la compañía de software tuvo que lanzar una actualización rápidamente. Imagínese, si no fuera tan fácil de editar, habrían tenido que sentarse y escribir el código de nuevo. El único problema que los desarrolladores encuentran al cambiar el sistema es la proporcionalidad al ámbito cambiante y no a la forma en que el cambio afectará.

Lo que impulsa el aumento en el costo del desarrollo de software es el alcance y la forma. Son las razones por las que los desarrolladores cobran mucho dinero durante el desarrollo de software. Cuidado con usted; no te están estafando. Es el trabajo lo que exige tal.

Para los clientes, están produciendo cambios en el mismo ámbito. Los desarrolladores ven secuencias de piezas de rompecabezas. Sienten que los clientes les están dando un laberinto. Cada nueva actualización o cambio no será fácil de hacer que el anterior. La razón por la que el cambio seguirá siendo cada vez más difícil es el requisito de arquitectura. La dificultad comienza una vez que la arquitectura prefiere otra forma. Eso significa que será difícil agregar nuevos cambios al sistema.

El mayor valor

Aquí es donde está la pelea. Imagina que quieres comprar un automóvil; usted estará cuestionando dos cosas: las características del automóvil y el aspecto del automóvil. Digamos que te encanta un automóvil en particular porque es hermoso, no puedes simplemente seguir adelante y comprarlo, y todavía considerarás el motor y sus especificaciones. Por lo tanto, está en el diseño de software. En este caso, está entre la arquitectura y el diseño. ¿Qué es más importante, es el funcionamiento del software o su capacidad para cambiar fácilmente?

La mayoría de los usuarios se preocupan por la funcionalidad del sistema de software. Y los desarrolladores también siguen el ejemplo, que no está destinado a ser así. Un software que funcione bien no significa que no sea susceptible a cambiar, no se confunda. Pero cuando un desarrollador elige la funcionalidad sobre la arquitectura, realizar cualquier cambio en dicho software sería difícil e incluso más caro que el beneficio que ofrece el software. Todo el mundo quiere un cambio, pero la forma en que está construyendo su software, ¿está seguro de que está listo para un cambio?

Lo que plantea un problema para los desarrolladores de software es la intervención de los propietarios del software. El propietario del software puede ser un gerente de negocios, un CEO de la empresa, un presidente, etc. Estas personas no pueden comprender la utilidad de la arquitectura. Quieren software que pueda hacer esto y aquello. Es el trabajo del desarrollador de software para pensar, bien qué pasa si algo sucede en el futuro, voy a ser capaz de alterar este software para adaptarse a esto? Los desarrolladores de software necesitan despertarse de su sueño y empezar a enfatizar la ventaja dorada de la arquitectura.

Lucha por la Arquitectura

Para que un desarrollador haga hincapié en la ventaja de la arquitectura, puede terminar provocando a su empleador. El empleador puede pensar lo contrario, y lo que no sabe es que el desarrollador está tratando de darle lo mejor. Un desarrollador eficaz necesita luchar para que eso sea posible. No olvide que un desarrollador es un cliente. Su participación aquí es para proteger el software.

Un arquitecto de software se preocupa por la estructura del software que sus funciones y características. Diseñan el software para que se modifique fácilmente. Recuerde que la arquitectura y el comportamiento son dos valores muy importantes en el desarrollo de software.

Capítulo 2

Paradigma de Programación

El software se ocupa de los códigos. Para cada software que utilice, está utilizando algunos códigos. Antes de sumergirnos en la arquitectura, usted tiene que saber acerca de los conceptos básicos del software. El código es la base fundamental de cada software, incluso el software Tic-tac-toe. El origen de la programación informática data de 1937. Un matemático inglés, Alan Turing se dijo que era el hombre que comenzó la programación de computadoras. Turing no fue la primera persona que tuvo la idea de lo que es una máquina programable. Como matemático, entendió que los programas se componen de datos. Siete años más tarde, Turing se hizo mejor en la programación y escribió algunos códigos en ese entonces, aunque nadie podía determinar si era Java o C++. Se utilizaron bucles, asignaciones, subrutinas y otras estructuras. Alan Turing estaba codificando en lenguaje binario.

En el mundo moderno, tenemos una gran cantidad de lenguajes que tienen sintaxis simple. A medida que avanzaba el camino de la programación, experimentó una serie de revoluciones. Los ensambladores se introdujeron en 1940. Los ensambladores se utilizan en la creación de códigos con lenguaje ensamblador. Con la llegada del ensamblador junto con el lenguaje ensamblador, la programación se hizo más simple. En 1952, una contraalmirante de la Marina de los Estados Unidos y científica informática, Grace Hopper creó un compilador. El compilador se denomina a A0 y se conocía como el primer compilador. Su teoría sobre el compilador era que la máquina convertiría el idioma inglés en código de máquina. Desde entonces, muchos lenguajes de programación fueron dados a luz, y la vida se hizo más simple.

Un paradigma de programación es también una de las cosas importantes que le pasó al programa. Al igual que la palabra paradigma implica estructura, el paradigma de programación habla sobre el patrón de programación. Este concepto no está relacionado con ningún idioma. Este concepto le indica cómo utilizar una estructura de programación y cuándo usarla. Sólo hay tres tipos de paradigma de programación, y son *la programación estructurada, la programación orientada a objetos y la programación funcional.*

Programación estructurada

La programación estructurada fue el primer tipo de paradigma de programación que entró en uso. El concepto fue descubierto por un científico holandés, Edsger Wybe Dijkstra, en 1970. Explicó que el uso de saltos sin restricciones como las declaraciones *goto* son perjudiciales para la programación. Sus explicaciones sirvieron como la base de la disciplina en el desarrollo de software. Esto ha ayudado a los programadores a gestionar proyectos de software de manera eficaz.

Programación orientada a objetos (OOP)

La programación orientada a objetos fue descubierta por Ole Johan Dahl y Kristen Nygaard en 1966. Los dos programadores notaron que había una restricción con el uso de un lenguaje de programación, ALGOL 60. Decidieron resolver la restricción mediante el desarrollo de Simula, un paquete de procesos para ALGOL. Terminaron desarrollando Simula en un lenguaje de pleno derecho. El lenguaje utilizado uniVAC ALGOL 60 compilador. Esto finalmente condujo al patrón polimórfico en la codificación.

Programación funcional

Este es el último tipo de paradigma de programación y fue el primero en ser inventado. La programación funcional fue introducida por Alonzo Church, un matemático estadounidense. El estilo de programación fue descubierto cuando desarrolló el cálculo lambda. Esta invención se convirtió en el origen del lenguaje LISP y la programación funcional. LISP, el segundo idioma más antiguo, fue descubierto por John McCarthy en 1958. Este estilo de programación se ocupa de la inmutabilidad de los valores de los símbolos. Hace hincapié en que un buen lenguaje de programación no debería tener una declaración asignada.

Después de familiarizarse con los paradigmas, la pregunta ahora es, ¿cómo afectan a un programador? El objetivo principal de estos paradigmas es establecer pautas para los programadores. Eso significa que los programadores no pueden hacerlo de todos modos. La programación estructurada ya ha eliminado el uso de la instrucción *goto.* OOP eliminó los punteros de función, y el programa funcional no dio espacio para la asignación. Debido a las limitaciones causadas por los programadores, los paradigmas se etiquetan como desfavorables.

Los paradigmas de programación tienen sus beneficios. El polimorfismo se utiliza para resolver los límites arquitectónicos. La programación funcional impone disciplina sobre la ubicación y el acceso a los datos. La programación estructurada sirve como base de módulos.

Estos paradigmas forman la base de la arquitectura.

Descripción general del paradigma: Programación estructurada

La programación estructurada se introdujo en la década de 1950. Este estilo de programación fue introducido por Edsger W. Dijkstra. La mayoría de las veces, un problema de resolución de problemas da lugar a soluciones. Tal es el caso de la programación estructurada. Vio que la gente clamaba que la programación es difícil y difícil. Los programadores no estaban haciendo su trabajo excelentemente también. Un proyecto complejo tendrá muchos detalles que los seres humanos no pueden entender. Descuidar un módulo pequeño puede causar caos e incluso hacer que un programa no funcione. Dijkstra resolvió esto mediante la adopción del principio matemático de la *prueba.* Como la mayoría de las ecuaciones matemáticas, necesitaban ser probadas para que la gente las entendiera. Explicó que los programadores deberían usar estructuras para probar su código.

Durante su investigación, se dio cuenta de que la aplicación de declaraciones *goto* restringe la división de los módulos en unidades más pequeñas. Aunque no todas las estructuras *goto,* restringir los módulos. Estas estructuras *goto* beneficiosas ayudan en la selección simple y las estructuras de control de iteración como *if/do/else.* Los módulos que utilizan estas estructuras de control se pueden dividir en unidades más pequeñas.

La programación estructurada se ocupa de tres cosas: estructuras de control, subrutinas y bloques.

Su descubrimiento fue innovador. Luego, envió una carta al Mercado Común Centroamericano (CACM). Su carta fue publicada en 1968. Se tituló Ir a la declaración considerada perjudicial. Su carta explicaba más sobre las estructuras de control. Desafortunadamente, no había internet, por lo que la distribución era limitada. Los americanos estaban furiosos. Los programadores estaban enojados. Enviaron cartas furiosas y amenazas a la editorial. Al final, todo el mundo escuchó A Dijkstra y ahora es un programador estructurado. Los lenguajes de programación recientes no tienen la estructura para admitir la transferencia indirecta de control. Tenga en cuenta que, todavía hay idiomas que suponen la estructura *goto.* Pero, limitan la acción dentro del área de la función.

Conclusión

La programación estructurada permite crear unidades de programación. Esta capacidad hace que lenguajes como Python, Java no admitan sentencias sin restricciones. Saber que el software es una ciencia. Si la ciencia es impulsada por la falsificación, entonces el software no es una excepción.

Descripción general del paradigma: Programación orientada a objetos

La palabra compuesta, orientada a objetos en la programación, significa la combinación de función y datos. OOP se trata de un objeto que contiene datos. La herencia es común con los lenguajes orientados a objetos. También pueden extenderse en forma de clase y prototipo. Los lenguajes que usan clases existen en dos tipos: Clase y objeto. La clase se ocupa del formato de datos y los procedimientos disponibles, mientras que un objeto es sólo algo que corresponde a lo que vemos en el mundo real. El objeto puede ser una forma o un menú.

Tenga en cuenta que OOP es más grande y más grande que el concepto de clases y objetos. Es un estilo que gira en torno a las estructuras de datos. En el campo de la programación, es importante conocer OOP. Los métodos son procedimientos en la programación orientada a objetos. Los campos, miembros y atributos se conocen como variables.

Variables de clase: pertenecen a la clase en su conjunto, y solo puede haber una copia de cada una.

Variables de instancia: pertenecen a objetos individuales y cada objeto tiene una copia de cada uno.

Variables miembro: se refieren a las variables de clase e instancia, y son conocidas por una clase específica.

Métodos de clase: estos pertenecen a toda la clase y tienen acceso a solo variables de clase y entradas de la acción de procedimiento.

Métodos de instancia: pertenecen a objetos individuales y son accesibles para las variables de instancia para el objeto específico en el que desean trabajar.

OOP que utiliza la clase se conoce como programación basada en clases. La programación basada en prototipos no emplea clases. La diferencia entre la programación basada en clases y basada en prototipos es esa; en lenguajes basados en clases, las clases están predefinidas y los objetos se crean instancias sobre una base de clase. Mientras que en los lenguajes basados en la programación de prototipos, las entidades principales son objetos.

Un concepto que se encontró en la programación orientada a objetos es **encapsulación.** La encapsulación provoca la unión de datos y funciones para alterar los datos y mantenerlos protegidos contra interferencias. Explica más acerca de la OOP de la ocultación de datos. La encapsulación se trata de ocultar información. Se produce encapsulación cuando una clase no permite que una acción tenga acceso a los datos de un objeto interno y permita el acceso solo por métodos. Fomenta el desacoplamiento. El desacoplamiento es la medida de la interdependencia de los módulos de software.

Los objetos pueden contener más objetos en sus variables de instancia. Esto se conoce como composición de objetos. Por ejemplo, un objeto de la clase Estudiantes puede contener un objeto en la clase Dirección. Puede modificar las variables de instancia como "apellido" y "Talla."

Cualquier idioma que admita clases admitirá la herencia. La herencia permite segmentar las clases en una representación jerárquica. Por ejemplo, clase Los alumnos pueden heredar de la clase de Género. Todos los métodos y la presentación de datos a la clase primaria también se muestran en la clase secundaria con los mismos nombres. El género de clase tendrá variables como 'Masculino' y 'Femenino'. La herencia permite una fácil reutilización de los mismos métodos y definiciones de datos.

OOP también ilumina a los programadores sobre el polimorfismo. El polimorfismo es la introducción de una única interfaz para muchas entidades de varios tipos o el uso de un símbolo para representar varios tipos diferentes. Hay tres clases principales de polimorfismo, y son:

El polimorfismo ad hoc explica que una interfaz común de un conjunto aleatorio de tipos especificados.

El polimorfismo paramétrico define cuándo uno o más tipos no se clasifican por nombre, sino por símbolos que pueden denotar cualquier tipo.

Subtipado también conocido como polimorfismo de inclusión. Define un nombre que denota ocasiones de varias clases relacionadas por una superclase común.

Paradigma de programación: Programación funcional

Es un estilo de creación de la estructura y los elementos de los programas de software. Maneja el cálculo como una evaluación de funciones matemáticas y permite la inmutabilidad. Funciona con declaraciones declarativas. El resultado de un valor depende solo de su argumento. No se sorprenda si llama a una función del mismo valor para un argumento y dan el mismo resultado. Este estilo de programación se originó a partir del cálculo lambda en 1930. Common Lisp, Clojure, y por lo tanto son pocos entre los lenguajes que utilizan la programación funcional. Las variables de esta categoría no cambian.

Todo el desglose de software que vemos en las aplicaciones se puede desviar si no emplean ninguna variable mutable. Un arquitecto debe ser capaz de prever la escalabilidad del software. Es cada sueño de un programador que su diseño se puede ver en muchas plataformas. Pero, todavía duda de sí mismo; ¿es esta inmutabilidad de una cosa que se puede practicar? Sí, se puede practicar, si y sólo si, usted tiene almacenamiento ilimitado y velocidad ilimitada del procesador.

Resumen

Lo más importante es que la programación estructurada se basa en la transferencia directa de control. OOP, por otro lado, está hablando de la transferencia indirecta de control. La programación funcional se ocupa de la asignación de variables. Como dije antes, estos tres paradigmas han estado limitando las capacidades de los programadores. Con este patrón de programación, está claro que el software es un proceso gradual que se puede apresurar. La importancia del software nunca puede cambiar, pero las herramientas y el hardware seguirán evolucionando.

Principios de diseño

Para lograr un sistema de software de sonido, debe ser capaz de producir código limpio. Del mismo modo, realmente no importa si no se puede obtener código limpio. Este es el punto en el que se le introducirán los principios DE SOLID. Estos principios nos enseñan a gestionar nuestras funciones y estructuras de datos. También se ocupa de cómo formular una clase, y deben estar interconectados. Una clase es la agregación de datos y funciones. Tenga en cuenta, no estoy diciendo que SOLID es aplicable sólo a la programación orientada a objetos. Cada paquete de software tiene una clase. Los principios SOLID funcionan básicamente en clases.

Los objetivos de las estructuras de un software promedio son:

Para tolerar cambios,

Deben ser fáciles de entender, y

Son los componentes fundamentales que se pueden utilizar en varios sistemas de software.

La palabra "promedio" se utilizó para intimar con la noticia de que estos principios están en el nivel de módulo. Son aplicables justo por encima del nivel del código. También explican los tipos de estructuras de software utilizadas en módulos y componentes. Si es posible diseñar una casa de una manera horrible con ladrillos agradables, por lo que es crear un lío con componentes promedio bien diseñados.

La invención de los principios SOLID comenzó a finales de los años 80. Robert C. Martin comenzó a desarrollar estos principios mientras argumentaba el principio del diseño de software en USENET (una interfaz que puede considerarse como Facebook de los años 80). A medida que el mundo se mueve, los principios también se metamorfosean. Después de la suma y la resta, Robert C. Martin formuló los principios a principios de la década de 2000. Fue hasta 2004 cuando los principios fueron arreglados y llamados principios SOLID. Son:

S representa el Principio de Responsabilidad Única,

O representa el Principio Abierto-Cerrado",

L representa el Principio de Sustitución de Liskov",

Represento "Principio de Segregación de Interfaz", y

D representa el "Principio de inversión de dependencia".

Estos principios se discutirán extensamente en capítulos posteriores.

Capítulo 3

Principios de Responsabilidad Única

El principio de responsabilidad única es uno de los cinco principios del desarrollo de software. Es un tipo de programación informática que indica que una clase o un módulo debe tener solo una razón para cambiar. Ha habido confusión últimamente sobre la palabra "razón" que se utilizó en la definición. Sólo los usuarios pueden actualizar la razón para que una clase cambie. Según Robert C. Martin, autor de Arquitectura Limpia, los principios de responsabilidad única tratan con las personas/usuarios/actores. Esto básicamente significa que el software sólo se puede cambiar para satisfacer las necesidades y deseos de los usuarios.

En el principio de responsabilidad única, una clase o un módulo debe tener control sobre una parte determinada de cómo funciona un sistema. Todos los contenidos de una clase o un módulo están conectados. La clase es una sola entidad por sí sola. La cohesión es una parte integral del SRP. La cohesión es la fuerza que une los códigos responsables de un solo usuario. Si una clase tiene una cohesión deficiente, algunos aspectos de ella cambiarán para que otras clases dependientes puedan usarla, mientras que las otras partes permanezcan inalteradas. Un escenario similar es el de desprendimiento militar que está usando armas que se pueden activar con una huella digital. Si un soldado muere en un tiroteo, su arma en ese momento se vuelve inútil. Sólo el cargador de su arma puede ser útil. Es un ejemplo típico de mala cohesión.

Tenga en cuenta que el principio de responsabilidad única (SRP) se basa básicamente en funciones y clases. Se repite en varias configuraciones en dos niveles más. A nivel de componentes, se conoce como el Principio común de cierre. Mientras que en el nivel arquitectónico, se llama el Eje del Cambio. Desencadena la creación de límites arquitectónicos.

Síntomas de violación de SRP

Hay dos tipos de síntomas que indican la violación de los principios de responsabilidad única:

- *Duplicación accidental*
- *Combina*
- *Duplicación accidental*

Como su nombre indica, se trata de la repetición de la secuencia de código. La repetición del código es el mayor error y fracaso que puede encontrar un programador. Una situación en la que tenemos más de un método en una clase, entonces hay problemas. Por ejemplo, una clase CENSUS que tiene diferentes métodos:

- Un método que cotejo la edad para la promoción de nivel e informa al Ministro de Trabajo.

- Un método que calcula el salario que está siendo monitoreado por el departamento de contabilidad y el informe va directamente al ministro de finanzas.

- Un método que salva todas las actividades de la población e informa al ministerio de tecnología y al ministerio de la población humana.

Tener todos estos métodos en una clase causará caos en las funciones. Aunque los desarrolladores de la clase, CENSUS, han atribuido cada método al usuario del código. Sin embargo, existe la posibilidad de interrumpir las funciones. El informe del Ministro de Finanzas puede ir al Ministro de Trabajo.

Mirando de cerca las soluciones a los dos primeros métodos anteriores (edad y salario), existe la posibilidad de que sean casi idénticos. Por lo tanto, es posible que la clase no funcione perfectamente.

Imaginen el escenario en el que el ministro de trabajo y su equipo notaron que hay un fallo en el sistema. Contratarán a un nuevo desarrollador para resolver el problema. Entonces, el desarrollador altera el código sin consultar al ministro de finanzas, y termina arreglando el problema. Desafortunadamente, están utilizando los datos del ministro de finanzas. Esto resulta en un resultado incorrecto para el ministro de finanzas, que el desarrollador no sospecha. Después de un tiempo, el ministro de trabajo descubre el problema y se da cuenta de que han estado gastando dinero en el proceso equivocado. Tal problema ocurre debido a los diferentes códigos de ministerio que están muy cerca. Los principios de responsabilidad única establecen que un código del que dependen los distintos usuarios no debe ser similar.

Combina

La recopilación de datos de muchas fuentes no es una actividad nueva en la programación informática. Puede combinar muchos datos en un archivo común a través de diferentes métodos. Este fenómeno es factible si esos métodos se atribuyen a diferentes usuarios. Por ejemplo, el ministro de tecnología quiere una simple alteración de la tabla CENSUS de la base de datos. Al mismo tiempo, el ministro de Trabajo quiere una alteración en el formato del informe salarial. Los dos ministerios pueden contratar a dos desarrolladores diferentes. Ambos se pusieron a trabajar en sus diferentes proyectos y terminaron colisionando entre sí. Tal ocurrencia se denomina *fusión*. Aquí, el ministro de tecnología y ministro de trabajo están en riesgo debido a la *fusión*. Recuerde que los principios de responsabilidad única establecen que un código del que dependen los distintos usuarios no debe ser similar.

Soluciones a estos problemas (violaciones)

Las soluciones a este problema son numerosas. Una de ellas incluye la separación de los datos de las funciones. Las tres clases (métodos) comparten el acceso a los datos de CENSUS. Los datos CENSUS son una estructura de datos simple sin métodos. Cada clase contiene el código fuente que es importante para su función particular. De esta manera, ninguna clase chocará entre sí. Por lo tanto, no habrá ninguna duplicación accidental.

Otra solución a las violaciones es el uso del patrón de fachada. El patrón de fachada es un patrón de diseño de software que se utiliza con frecuencia en la programación orientada a objetos (OOP). Uno de sus beneficios es su capacidad para mejorar la legibilidad de la biblioteca de software. Aquí, tendremos Census Facade. CensusFacade se compone de poca sintaxis de código. Es responsable de descubrir clases y nombrar las clases con sus funciones. Algunos desarrolladores mantienen los puntos más importantes más cerca de los datos. Esto se puede lograr poniendo el método más importante en la clase *censal* original y luego usando esa clase como fachada para las funciones inferiores.

OCP – Principio Abierto Cerrado

Al igual que el principio de responsabilidad única, Open Closed Principle (Principio Abierto Cerrado) es uno de los cinco principios del desarrollo de software. Establece que *las clases, módulos, funciones, etc. deben estar abiertos para cualquier forma de la extensión pero cerradas para su modificación.* Las clases, módulos y funciones son ejemplos de entidades de software. Esto significa que una clase o un módulo o una función puede permitir que su comportamiento se extienda sin alterar sus instrucciones del programa. En la década de 1990, Open Closed Principle se refiere al uso de interfaces abstractas. Se definió además que las implementaciones se pueden cambiar y crear en varios formularios y sustituirse entre sí. Bertrand Meyer fue el hombre que descubrió este principio. Meyer señaló que

- Un módulo abierto es uno que es fácilmente extensible. En cualquier momento, es posible crear más campos en la estructura de datos que contiene el módulo, o nuevos elementos para el conjunto de funciones que realiza.

- Por otro lado, un módulo cerrado es cuando el módulo está disponible para su uso por otros módulos. Esto significa que el módulo ha recibido una descripción precisa y fija (la visualización en el acto de ocultar información).

La capacidad de un módulo para extender es la razón principal por la que necesitamos conocer la estructura del software. Si un desarrollador intenta alterar los requisitos, se ajusta y causa alteraciones masivas en el software. Esto muestra que el desarrollador ha fallado. Los alumnos de la estructura y el diseño del software conocen poco poder del Principio Abierto-Cerrado. La mayoría de ellos consideran este principio como una guía para diseñar clases y módulos. No, este principio tiene más importancia que eso.

Por ejemplo, tiene un sistema que muestra un resumen de población en una página web. Los datos cuando se muestran en la página se pueden desplazar y la población menor que 100 se muestran en rojo. Así sucede, los usuarios de los datos quieren que esta misma información se vuelva a un informe e imprima. Quieren un formulario de impresión en blanco y negro. En ese caso, el informe debe estar bien organizado y paginado, con los encabezados de página, pies de página y números de serie bien coordinados. También quieren que la población menor de 100 sea en palabras.

Eso significa que necesita cambiar su algoritmo. ¿Significa eso que todos tus códigos anteriores son inútiles? ¿O cuánto del código antiguo va a cambiar? Cálmate; aprenderás qué hacer en esta sección.

Una excelente arquitectura de software minimizaría la cantidad de código anterior que debe modificarse al mínimo más sombrío. Prácticamente, esto significa cero. ¿Cómo puedes lograrlo? Recuerde el Principio de Responsabilidad Única (SRP). Sí, puede lograr esto rompiendo las cosas que cambian por diferentes razones y luego dirigiendo las dependencias entre esas cosas. Tenga en cuenta que el proceso de organización de las dependencias funciona debido al principio de inversión de dependencia (DIP).

La aplicación del SRP permite que algunos procedimientos analíticos inspeccionen los datos de población. La aplicación SRP genera datos que se pueden convertir en un informe. También da formato al archivo según las especificaciones del usuario. Muestra los cambios que se producirán en los datos para que se conviertan en un informe imprimible. Los cambios son el cálculo de los datos reportados y la presentación de los datos de población en un formulario web y apto para impresoras. Después de estos cambios, debe dirigir las dependencias del código fuente para asegurarse de que los cambios en una de estas responsabilidades no alteren nada en otros códigos fuente. Mientras prepara el nuevo formato, asegúrese de que los nuevos cambios se pueden ampliar sin deshacer la modificación.

Exactamente, así es como funciona el Principio Abierto-Cerrado a nivel arquitectónico. Los desarrolladores se aseguran de que particionan la funcionalidad del código en función de cómo, por qué y cuándo cambia. A continuación, dirigen todas las funciones particionadas a su jerarquía de componentes. De esta manera, todos los componentes de una jerarquía están protegidos de los cambios realizados en cualquiera de ellos.

Control direccional

Cuando está organizando los componentes en una jerarquía, debe tener cuidado con sus direcciones. Como este libro es una guía básica, no te aburriremos con las complejidades. En el futuro más cercano, cuando aprenda cómo crear una jerarquía de protección en la noción de nivel, sepa lo siguiente:

- Los interactores. Contienen reglas de negocio y políticas de más alto nivel. Son el concepto de más alto nivel. Siempre se ocupan de la principal preocupación, mientras que otros se ocupan de las preocupaciones periféricas.

- Controladores: vienen después de los interactores. Son periféricas al interactor pero centrales para los presentadores y las vistas. Su protección es bastante alta pero menor que la de los interactores.

- Presentadores: son periféricos a los controladores, pero son centrales para las vistas. Están más protegidos que las vistas. No afectan al interactor.

- Vistas: este es uno de los niveles más bajos de conceptos. Son los menos protegidos en la jerarquía. Tampoco afectan al interactor.

Ocultación de información

Aquí, ocultamos la información de un concepto para protegerlo de cambiar su funcionalidad a otro. Las dependencias modificables son una violación del principio general de que las entidades de software no deben confiar en cosas con las que no se involucran directamente. En el capítulo que habla sobre el Principio de Segregación de Interfaz y el Principio de Reutilización Común, hablaremos más sobre este principio.

En resumen, el Principio Abierto-Cerrado es uno de los pilares de la arquitectura de los sistemas. El principio tiene como objetivo hacer que el sistema se extienda fácilmente sin ningún daño o cambio a otras clases o módulos. Esto sólo se puede lograr segmentando el sistema en pequeñas piezas llamadas componentes. Por lo tanto, estos componentes se organizan en una jerarquía de dependencias que protege el nivel superior de los componentes de los cambios en los componentes de menor nivel.

LSP: Principio de sustitución de Liskov

El principio de sustitución de Liskov simplemente se puede poner como una guía que dice que cualquier clase bajo una clase primaria debe ser sustituida en su lugar por su padre sin ningún caos o comportamiento extraño. Liskov Principio de Sustitución fue formulado en 1987 por Barbara Liskov. Barbara Liskov y Jeannette Wing abordaron el principio:

> *Requisito de clase: deje que a(b) sea una propiedad que se pueda adquirir sobre los objetos b del tipo M. A continuación, a(d) debe ser true para los objetos d de tipo N donde N es una clase de M.*

Aquí, la clase también se denominará subtipo.

La definición de Liskov de un subtipo de comportamiento indica que una noción de sustituibilidad de un objeto, es decir, si N es un subtipo de M. Esto significa que los objetos de tipo M en un sistema pueden sustituirse por objetos de tipo N sin causar ninguna alteración de cualquier forma a las funcionalidades del sistema.

Guiar el uso de la herencia

Para explicar el uso de la herencia, ilustraré con un ejemplo. Una clase titulada *ID* tiene un método llamado *calcserial(),* que también se conoce como la aplicación ORDERING. La clase tendrá dos subtipos: *PersonalIdentitycard y HospitalIdentitycard.* En el diseño de esta clase, el comportamiento de la aplicación ORDERING no dependerá de las funciones de los subtipos. Pero *PersonalIdentitycard y HospitalIdentitycard* se pueden sustituir por *Identitycard* en cualquier momento.

El problema cuadrado/rectángulo

Este es otro ejemplo del Principio de Sustitución de Liskov. En geometría del mundo real, un CUADRADO es un plano RESCTANGULO con cuatro lados iguales. Básicamente, un cuadrado es un rectángulo especial. La frase 'is a' presente allí implica que el cuadrado hereda algunas propiedades de un rectángulo. Durante la codificación, se escribe un código que se crea un CUADRADO a partir de un RESCTANGULO. Eso hará que el CUADRADO sea equivalente a RESCTANGULO en la medida de sustituirlos entre sí. Y esa sintaxis causará caos cuando esté en uso. Cada vez que pones algunos métodos en la clase RESCTANGULO, para ti, te parece perfecto. Recuerde, su RESCTANGULO y CUADRADO pueden sustituirse entre sí. Es posible que los métodos del RESCTANGULO actuaran en el CUADRADO. No tendrá sentido para el CUADRADO porque los métodos se enturbiarán. Eso significa que el CUADRADO falla la prueba LSP con RESCTANGULO. El método CUADRADO heredado de RESCTANGULO no puede funcionar para él.

Como desarrollador, es su trabajo encontrar una solución a tal problema. Puede evitar cualquier confusión de funciones mediante el uso de las instrucciones condicionales if. En este caso, el **if** especificará si el CUADRADO es un RESCTANGULO.

Principio de Sustitución y Arquitectura de Liskov

La explicación precisa y fácil para entender la relación entre el Principio de Sustitución de Liskov y la Arquitectura es comprobar lo que ocurre con la estructura y las funciones cuando el principio no se considera. A lo largo de los años, los desarrolladores de software tenían esta escuela de pensamiento que el Principio de Sustitución de Liskov sólo se puede utilizar durante la herencia. Hay más cosas en este principio. Con la comprensión del Principio de Sustitución de Liskov, los desarrolladores podrán trabajar con interfaces de software y sus implementaciones. Las interfaces de software pueden ser una interfaz de estilo Java que se implementa mediante diferentes clases. O tenemos una interfaz python con muchas clases. O una interfaz Ruby con muchas clases con las mismas firmas de método que compartieron. O un grupo de servicios que solo se activan mediante una interfaz REST.

En general, el Principio de Sustitución de Liskov puede aplicarse a estas situaciones. Hay desarrolladores que prefieren interfaces que están bien definidas. También hacen hincapié en cómo la interfaz implementada puede ser sostenible.

Violación del Principio de Sustitución de Liskov

En un caso donde estamos creando un agregador. El agregador servirá como despachador para los servicios de taxi. Los clientes utilizan el sitio web para buscar un taxi adecuado para usar sin tener en cuenta las empresas del taxi. Cuando un cliente decide el taxi que quiere, el agregador envía una señal al taxi que el cliente quiere a través del servicio de descanso. En esta etapa, aparece otra suposición, que es el identificador uniforme de recursos (URI) para el servicio de envío, entre la información almacenada en la base de datos del controlador. Una vez que el cliente decide, el sistema elige un controlador adecuado a las necesidades del cliente. Para ello, el sistema adquiere el URI del registro del controlador y usa el URI para enviar el controlador al cliente. Un envío de URI de cada controlador es único. Por ejemplo, el controlador A tiene un URI de envío: **deadpool.com/driver/A** y el controlador B tiene su URI de envío: **deadpool.com/driver/B.** El agregador agrega la información de envío de los dos controladores a su URI y utiliza un comando PUT para enviarlo:

deadpool.com/driver/A

/pickupAddress/23 Wall Street

/pickupTime/234

/destination/Chinatown

Básicamente, esto indica que todos los servicios de envío disponibles, para todas las empresas deben ajustar sus sistemas a la misma interfaz REST. Deben comprobar los campos pickupAddress, pickupTime y destination de forma similar. Si una compañía de taxis en particular, Marvel, contrató a algunos desarrolladores que no leyeron las especificaciones con precaución. Así que cambiaron el campo de destino a *des*. Marvel pasó a ser la compañía de taxis más grande de esa área, y la ex novia del CEO de Marvel es la nueva esposa de nuestro CEO, y todo. Ya sabes lo que pasa. ¿Qué efecto tendrá en la arquitectura del sistema?

Está claro que mi empresa tendrá que añadir un caso especial. La solicitud de cualquier controlador de Marvel ahora tendrá que crearse utilizando otro conjunto de reglas de todos los demás controladores. El método más fácil para lograr este objetivo es emplear una instrucción **if** al módulo que creó los comandos para el envío:

```
(driver.getDispatchUri().startswith('marvel.com'))
```

Al verlo cuidadosamente, ningún arquitecto permitiría que dicho código o método existiera en el sistema. Anexar la palabra 'marvel' en el método o código en sí crea espacio para todas las formas de jerga. Incluso puede crear espacio para una brecha de seguridad. ¿Y si Marvel se convirtiera en más exitoso y comprara otra compañía de taxis? Eso significa que pueden tener que combinar su base de datos. ¿Qué pasa si decidieron mantener las marcas por separado con sus sitios web pero tienen un sistema unificado? Es una posibilidad. ¿Significa eso que necesitamos crear otra declaración condicional **if** para la compañía de taxis adquirida?

El arquitecto tendría que aislar el sistema de errores como este mediante la construcción de otro tipo de módulo de comandos de envío que se desencadenará mediante una base de datos de configuración con clave del URI de envío. Los datos pueden tener este aspecto:

Formato de envío de URI

Marvel.com /pickupAddress/%s/pickupTime/%s/dest/%s

. /pickupAddress/%s/pickupTime/%s/destination/%s

El arquitecto tendría que añadir una manera importante y compleja de lidiar con el hecho de que los diseños de los servicios de descanso no pueden ser sustituidos.

Conclusión

El Principio de Sustitución de Liskov es extensible al nivel arquitectónico. Cualquier pequeña violación de su sustituibilidad puede hacer que el diseño de un sistema se corrompa con cierta cantidad de mecanismos adicionales. Esto significa que puede heredar de una clase hasta ahora que coincida con el estándar establecido, como el nombre y el parámetro del método.

ISP: El principio de segregación de la interfaz

Este tema se explicará con una ilustración que va así:

Imagine una situación en la que varios actores/usuarios utilizan las funciones de una clase, USB. Suponiendo que user1 solo utiliza us1, user2 solo utiliza us2, y user3 solo usa us3. USB es una clase que fue codificada con Java. Está claro que el código fuente de user1 dependerá indirectamente de us2 y us3. Esto significa que cualquier alteración que ocurra con el código fuente de us2 en USB hará que user1 sea recompilado.

Esta ilustración puede ser hermosa, pero es un problema. Se puede resolver segmentando las funciones en diseños.

Otra suposición de que si esto se hace con un lenguaje escrito estáticamente como Java. El código fuente de user1 se basará en u10sb y us1. Pero, ya no se basará en USB. Esto implica que cualquier alteración en user1 no le importa, no hará que user1 sea recompilado. Así que será para nosotros2 y nosotros3.

EL ISP afirma que ningún usuario debe ser forzado a confiar en los métodos que no utiliza.

El ISP rompe una interfaz grande a unidades más pequeñas y específicas. De esta manera, el usuario solo se preocupará por los métodos que necesita.

ISP y lenguaje

La ilustración anterior se basa en el tipo de idioma. Este tipo de lenguaje obliga a los programadores a trabajar con instrucciones declarativas. Por ejemplo, un lenguaje con tipo estático como Java hará que los usuarios utilicen *para importar* o *incluir.* La implicación de las instrucciones declarativas *incluidas* en el código fuente crean dependencias del código fuente. Estas dependencias forzarán la reimplementación y la recompilación.

Las instrucciones declarativas no existen en lenguajes como Ruby y Python. Estos son idiomas de tipo dinámico. Aquí, no hay dependencias que obliguen a la recompilación y la reimplementación. Esta es la razón principal por la que estos lenguajes crean sistemas flexibles y menos estrechamente acoplados que los lenguajes escritos estáticamente.

Esto lleva a la conclusión de que el ISP es más un problema de lenguaje que un problema de arquitectura. Eso nos lleva al siguiente segmento: Principio de Segregación de Interfaz y Arquitectura.

ISP y Arquitectura

Generalmente, es peligroso confiar en módulos que tienen más de lo que necesita. Esto es preciso para las dependencias que forzarán la recompilación y reimplementación innecesarias.

Imagínese, un arquitecto que trabaja en un sistema, A, y quiere añadir un cierto marco, B, en el sistema. Entonces los autores de B lo han conectado a una base de datos, C. Eso significa que A depende de B, y B depende de C, por lo que sucede que C contiene características que B no utiliza. Eso significa que a A no se preocupará por esas características. Aunque cualquier alteración de las características de la base de datos C puede provocar la redistribución del marco B y, a continuación, la redistribución de A.

Así es un error de una de las características de la base de datos D, que puede mostrar en otros.

Violación

Un ejemplo de una violación de ISP se puede ver en Desarrollo de software ágil: principios, patrones y prácticas. Por ejemplo, un cajero automático (ATM) que maneja las solicitudes de depósito y también las solicitudes de retiro. Dicho sistema ha infringido el Principio de Segregación de Interfaz. La solución, según el principio, es segmentarla a interfaces individuales. De esta manera, la interfaz será más específica.

Conclusión

La ilustración anterior es el ejemplo perfecto del dicho: "No tomes más de lo que puedes manejar". Un sistema que depende de una clase que tiene más de lo que necesita puede causar un caos que no esperará. Destaca que una interfaz con pocos detalles es mejor que una interfaz con información innecesaria. Esto hace que un código sea flexible y más fácil para el reacoplamiento y la reimplementación.

ODP: Principio de inversión de dependencia

El principio de inversión de dependencia (DIP) es una forma de desacoplar módulos de software. Explica que los sistemas flexibles son aquellos sistemas en los que sus dependencias de código fuente funcionan con abstracciones y no con concreciones. Java, un ejemplo de lenguaje con tipo estático, utiliza instrucciones como *use, import* e *include.* Estas instrucciones solo deben hacer uso de módulos de origen que contengan interfaces, clases abstractas y declaración abstracta.

Tenga en cuenta que los idiomas de tipo dinámico no están exentos. Las dependencias del código fuente de Python no funcionarán con módulos concretos. Sin embargo, es un poco difícil definir lo que es un módulo concreto en lenguajes con tipo dinámico. Los sistemas de software deben depender de algunas instalaciones concretas. Con eso, no podemos tratar DIP como una regla. Por ejemplo, la *clase de cadena* en la programación Java es concreta. Sería extraño forzarlo a cambiar a un resumen. Tenga en cuenta que la dependencia del código fuente en el *java.lang.string* concreto no se puede evitar.

La clase de *cadena* de Java es muy estable. Las alteraciones a dicha clase son poco comunes y están estrechamente monitoreadas. Los desarrolladores y arquitectos no deben preocuparse por las alteraciones frecuentes en la *cadena.* Con estos puntos, cabe señalar que los programadores ignoran los antecedentes estables del sistema operativo y las instalaciones de la plataforma. Las dependencias de hormigón no pueden cambiar. Es mejor evitar elementos de hormigón *volátiles* en nuestro sistema. Estos módulos que desarrollan los programadores se someten a frecuentes alteraciones.

Cada alteración a cualquier interfaz abstracta corresponde a cualquier alteración de sus implementaciones concretas. De lo contrario, las modificaciones en las implementaciones concretas no siempre son necesarias para cambiar los diseños que implementan. Las implementaciones son más volátiles que las interfaces.

Es responsabilidad de un buen diseñador de software o arquitecto minimizar la volatilidad de las interfaces. Trabajan duro para agregar funcionalidades a las implementaciones sin afectar a las interfaces. Estos son los conceptos básicos del diseño de software. Todo se reduce a diseños de software estables. Estos diseños deben evitar dependiendo de la concreción volátil, lo que favorece el uso de interfaces abstractas estables. Esto conduce a algunas prácticas de codificación específicas.

No trabaje con clases concretas volátiles: es mejor hacer referencia a interfaces abstractas. Esta regla se aplica a todos los idiomas, ya sea con tipo estático o dinámico. Pone en marcha algunas restricciones severas en la creación de objetos. Exige el uso de fábricas abstractas. El patrón de fábrica abstracto se refiere a una forma de encapsulación. Encapsula un grupo de fábricas individuales que tienen el mismo tema sin especificar clases concretas.

Diga no a la derivación de la clase de hormigón volátil: esta es una adición a la regla anterior. Tiene un contenido especial. En los lenguajes con tipo estático, la más fuerte y rígida de todas las relaciones de código fuente es una herencia. Debe ser utilizado y manejado con mucho cuidado. Cualquier pequeño fallo puede hacer que todo el sistema se comporte de otra manera. Pero en los idiomas con tipo dinámico, la herencia no es un gran problema, pero sigue siendo importante. La mayoría de las veces, suele ser la elección más sabia.

No invalide las funciones concretas: la mayoría de las veces, las funciones concretas requieren dependencias de código fuente. Al reemplazar algunas de esas funciones, no se eliminan esas dependencias; los estás heredando. Para estar a salvo de este desorden, debe crear funciones abstractas y varias implementaciones.

NO mencione el nombre de nada concreto y volátil: esto es sólo una repetición del principio de inversión de dependencia en sí.

Para comprender completamente estas reglas, debe crear un objeto concreto volátil. Esto debe hacerse con un manejo especial. Este control especial es necesario porque, en la mayoría de los idiomas, para crear un objeto, necesita una dependencia de código fuente. Esta dependencia se basa en la definición concreta del objeto. En la mayoría de los lenguajes de programación orientados a objetos como Java, los desarrolladores utilizan una fábrica abstracta para administrar esta dependencia.

Por ejemplo: un sistema, SECURITY que utiliza *concreteimpl* a través de la interfaz de red. Sin embargo, la SEGURIDAD debe crear instancias de *concreteimpl* de alguna manera. Para ello sin crear una dependencia de código fuente en *concreteimpl,* SECURITY llama al método *makesvc* de la clase *networkFactoryImpl,* que surge de *NetworkFactory.* Esa implementación inicia el *concreteimpl* y lo devuelve como una *red.* Este sistema constará de un límite arquitectónico. Esto divide el resumen del hormigón. El componente abstracto consta de todas las reglas de alto nivel del sistema. El concreto consiste en toda la información de implementación que las reglas de negocio manipularán.

Las dependencias del código fuente siempre se invierten en el flujo de control. Debido a eso, este principio se conoce como **inversión** de dependencia.

El componente concreto del ejemplo anterior consta de una única dependencia. Esta es una infracción típica del principio de inversión de dependencia. No puede eliminar todas las infracciones de DIP. Lo mejor que puede hacer es recogerlos en un pequeño número de componentes de hormigón y mantenerlos separados del sistema general.

La mayoría de los sistemas consisten en al menos un componente de hormigón y a menudo se denominan *principales.* Contiene la función *principal.* En la ilustración anterior de SECURITY, la función *principal* iniciará *NetworkFactoryImpl* y colocará una instancia en una variable global de tipo *NetworkFactory.* A continuación, la SEGURIDAD accedería a la fábrica a través de esa variable global.

Conclusión

DIP nos lleva a la conclusión de los principios DE SOLID. A medida que profundicemos en este libro, nos encontraremos con este principio. Es el principio más interesante en el diseño de software.

Capítulo 4

Principios de Componentes

Si los principios DE SOLID describen cómo colocar los ladrillos que componen las paredes en una habitación, ¿por qué todavía necesitamos componentes? El principio del componente se trata de cómo colocar las habitaciones en un edificio. Al igual que una mansión está construida a partir de habitaciones pequeñas, un gran sistema de software está construido a partir de componentes más pequeños.

Componentes: la definición

Los componentes son unidades de posicionamiento. Estos son elementos de minutos que se pueden colocar como un fragmento de un sistema. Java los reconoce como archivos *gar,* Ruby los reconoce como archivos de *gemas* y Python los identifica como archivos *py.*

Los componentes son colecciones de archivos binarios en lenguajes que usan un compilador y son colecciones de archivos de origen en lenguajes que se interpretan. En todos los idiomas, se conocen como pequeñas unidades de despliegue.

Se pueden conectar a un único archivo ejecutable. Se pueden recopilar juntos en un único archivo. archivo de *guerra,* y pueden ser desplegados exclusivamente como separados dinámicamente cargados-plugins como . *tarro* o . *exe* o *.dll.* Los componentes bien diseñados tienen la capacidad de implementarse de forma independiente. Por lo tanto, se pueden desarrollar fácilmente. Echemos un vistazo a la historia de los componentes.

Breve historia de componentes

Al inicio del desarrollo de software, los programadores pueden decidir la ubicación de la memoria y el diseño de sus programas. Entre las primeras líneas de código de un programa, debe haber una instrucción de origen. La instrucción origin declara la dirección en la que se cargaría un programa.

Considere el siguiente programa. Este programa consiste en una subrutina llamada GETSTR. El propósito de GETSTR es introducir una cadena desde el teclado y guardarla en un búfer. Posee un pequeño programa de prueba unitaria para ejecutar GETSTR.

```
*200
Tls
START, CLA
TAD BUFR
JMS GETSTR
```

```
Cia
TAD BUFR
JMS PUTSTR
Inicio jMP
BUFR, 3000
GETSTR, 0
DCA PTR
NXTCH, KSF
JMP -1
KRB
DCA I PTR
TAD I PTR
Y K177
RPP ISZ
TAD MCR
SZA
JMP NXTCH
K177, 177
MCR, -15
```

Tenga en cuenta los comandos *200 al principio del programa. Indica al compilador que genere un código que se cargará en la dirección en 2008. Este tipo de programación es un concepto extraño para la mayoría de los programadores hoy en día. Normalmente descuidan dónde se carga un programa en la memoria del ordenador. Esta fue una de las primeras decisiones que hicieron los programadores antiguos. En los primeros días de programación, los programas no se pueden reubicar.

Si eso es así, ¿cómo estaban accediendo ahora a las funciones de la biblioteca en ese entonces? El código anterior muestra cómo lo hicieron. Incluyeron el código fuente de las funciones de la biblioteca con su código de aplicación. Compilaron todos ellos como un solo programa. Mantuvieron las bibliotecas en el origen, no en binario. La mayor dificultad a la que se enfrentaba este método era que las computadoras eran lentas; la memoria era cara y limitada. Los compiladores eran necesarios para hacer algunas pasadas sobre el código fuente. Pero debido a la memoria limitada, no puede guardar todos los códigos fuente. Por lo tanto, el compilador leería en el código fuente muchas veces usando los dispositivos lentos. Esto estaba tomando tiempo. Cuanto más compleja sea la función de biblioteca, más tiempo tardaría el compilador.

Los programadores elaboraron una solución para que el código fuente de la biblioteca de funciones se separara de las aplicaciones. Compilaron la biblioteca de funciones y la hicieron por separado y guardaron el binario en una dirección conocida, por ejemplo, 2008. El formulado una tabla de símbolos para la biblioteca de funciones y compilado con su código de aplicación. Cada vez que querían ejecutar una aplicación, primero cargaban la biblioteca de funciones binarias antes de cargar la aplicación.

La solución estaba funcionando bastante bien hasta que algo sucedió. Este sistema sólo podía acomodar aplicaciones con direcciones que van desde 00008 y 17778. Más tarde, las aplicaciones se han agrandesdo que las direcciones asignadas para ellas. Luego se les di cuenta de que necesitaban dividir sus solicitudes en dos segmentos de direcciones. Era evidente que a medida que los programadores estaban añadiendo más funciones a la biblioteca, estaba excediendo sus límites. Así que tuvieron que asignar más espacio para ello. El problema se complicó con el aumento de la memoria del ordenador.

Luego surgió otra solución, y esta vez, fue a través de binarios reubicables. Cambiaron el compilador para generar código binario que un cargador inteligente podría reubicar en la memoria. A este cargador inteligente se le diría dónde cargar el código reubicable. El código se combinó con indicadores que indicarían al cargador qué partes de los datos cargados tenían que cambiar para cargarse en la dirección específica. Esto se puede hacer anexando la dirección inicial a cualquier dirección de referencia de memoria en el binario.

El programador ahora puede ordenar el cargador dónde cargar la biblioteca de funciones y dónde cargar la aplicación. En la mayoría de los casos, el cargador aceptará muchas entradas binarias. Este cargador los pondrá en la memoria secuencialmente. A continuación, los reubica a medida que los cargó. Con esto, un programador puede cargar las funciones que sólo necesita. El compilador también se modificó para emitir el nombre de las funciones como metadatos en el binario reubicable. Si un programa llama a una función de biblioteca, el compilador modificado lo emitiría como una *referencia externa.* Si un programa definiera una función de biblioteca, el compilador modificado emitiría como una *definición externa.* A continuación, el cargador podría conectar las referencias externas a las definiciones externas una vez que hubiera sabido dónde había cargado esas definiciones.

Enlaces

Después de la introducción de los binarios reubicables, luego vino el cargador de enlace. El cargador de enlacepermite a los programadores dividir sus programas en segmentos compilados y cargables independientes. Esto funcionaba bien con programas relativamente pequeños que estaban siendo conectados con pequeñas bibliotecas. A finales de la década de 1960 y principios de 1970, los programas eran cada vez más grandes. Eventualmente, los cargadores de enlace no fueron lo suficientemente rápidos. Los dispositivos de almacenamiento como las cintas magnéticas se utilizaron para almacenar bibliotecas de funciones, y eran lentos. Con las cintas magnéticas, los cargadores de enlace tenían que leer docenas de bibliotecas binarias. Mientras lo leía, tenía que resolver las referencias externas. A medida que los programas se agrandaban, se acumulaban más funciones en las bibliotecas de funciones. Un cargador de enlacepodría usar una hora para cargar un programa.

Los programadores se fueron a trabajar en una solución. Decidieron separar la carga y la unión en dos fases. Tomaron la parte lenta, la parte de enlace, y la pusieron en una aplicación separada. La aplicación se conocía como un vinculador. El resultado del vinculador fue un reubicable conectado que un cargador de reubicación podía abrir muy rápidamente. Los programadores pudieron crear un ejecutable utilizando el vinculador. Este vinculador se puede cargar rápidamente en cualquier momento.

En la década de 1980, los lenguajes de alto nivel como C estaban en uso. Estos lenguajes exigían compiladores complejos. El vinculador no pudo ponerse al día. Sin embargo, si intentaran compilar módulos individualmente, sería rápido. Luego vino RAM, memoria de acceso aleatorio. Con RAM, la velocidad del ordenador aumentó de 1MHz a 100MHz. Entonces, cosas como bibliotecas compartidas y archivos .jar se estaban utilizando. Vivimos en un mundo mejorado donde puedes hacer la vinculación en tiempo de carga. Podemos conectar muchos archivos .jar juntos en un abrir y cerrar de ojos. Podemos ensamblar varias bibliotecas compartidas en unos segundos y ejecutar el programa resultante. Esto dio lugar a la arquitectura del plugin componente.

Las cosas se han vuelto más fáciles; ahora podemos exportar archivos .jar o DLL o bibliotecas compartidas como plugins a aplicaciones existentes. Si desea crear un archivo de modificación a *Zuma,*por ejemplo, sólo tiene que mover sus archivos .jar personalizados a una carpeta determinada. Si desea conectar *Sublime Text* a Visual *Studio*, solo tiene que anexar los archivos DLL adecuados.

Conclusión

En tiempo de ejecución, muchos archivos vinculados dinámicamente que se pueden conectar juntos son componentes de software de arquitecturas. Aunque tomó algunos años descubrir la solución. Sin esfuerzo no hay recompensa. La solución hizo posible un escenario donde una arquitectura de plugin de componentes se puede utilizar como un valor predeterminado casual.

Capítulo 5

Cohesión de Componentes

Se ha familiarizado con componentes y clases; ahora necesita saber cómo diferenciar qué clase pertenecen en qué componentes? Este es un cruce importante que requiere la orientación de buenos principios de diseño de software.

¿Qué es la cohesión de componentes?

La cohesión informática es el grado en que los elementos del módulo están relacionados. Es la medida a la que todos los elementos dirigidos a realizar una sola tarea están juntos en un componente. Simplemente, la cohesión es el enlace interno que mantiene todos los módulos intactos.

Se debatirán los tres principios de cohesión de los componentes:

CRP, que representa el Principio de Reutilización Común.

CCP, que representa el Principio Común de Cierre.

REP, que representa el principio de equivalencia de reutilización/liberación.

El principio de equivalencia de reutilización/liberación

La unidad de reutilización es la unidad de liberación.

Hemos visto cómo los programadores más antiguos luchaban con la gestión de módulos y sus herramientas. Hemos visto a Maven, Leiningen y RVM; todos ellos están relacionados con la gestión de módulos. La importancia de estas herramientas ha crecido a lo largo de los años. Cuando se introdujo este principio, muchos componentes reutilizables y bibliotecas de componentes estaban en uso.

En los últimos años, la reutilización del software se convirtió en la nueva tendencia. La reutilización de software entró en juego gracias a la programación orientada a objetos. Los programadores no pueden reutilizar componentes de software y no podrán hacerlo hasta que se realice un seguimiento de los componentes que desea reutilizar. Puede realizar un seguimiento de esos componentes mediante un proceso de liberación. El proceso de liberación proporciona al componente lo que se conoce como números de **liberación.** Con los números de lanzamiento, podrá saber si los componentes reutilizados son compatibles entre sí. También está informando a los desarrolladores de software sobre las actualizaciones y qué cambios hará. Es normal que cada desarrollador sepa cuándo sale una actualización. Con eso, sabrían los cambios que afectará la actualización. A continuación, pueden decidir si desean dicho cambio o aún conservan la versión anterior.

El proceso de lanzamiento notifica a los usuarios y libera instrucciones que consisten en la información necesaria. Basándose en esta información, un usuario puede decidir qué hacer con la nueva versión; para integrarlo con la versión anterior o no integrarlo en absoluto.

Este principio trata sobre cómo las clases y módulos formados en una entidad deben pertenecer a un grupo cohesivo. El componente no puede contener solo clases y módulos. Los módulos deben tener un tema o propósito abrumador que todos compartan. Esto es obvio.

A veces, las clases y los módulos se agrupan como un componente extraíble. En este tipo de escenario, las clases y los módulos comparten el mismo número de versión y los mismos números de versión. Ambos se colocan bajo la misma documentación de lanzamiento. De tal manera, que tendrá sentido para el autor y los usuarios.

Si un autor infringe el principio de equivalencia de reutilización, los usuarios del software sabrán y no les gustarán sus habilidades arquitectónicas.

Las lagunas de este principio estarán cubiertas por los demás principios: el Principio común de cierre y el Principio común de reutilización.

El Principio Común de Cierre

Coloque en componentes aquellas clases que alteran por las mismas razones y al mismo tiempo. Separe en varios componentes, aquellas clases que cambian en diferentes momentos y por diferentes razones.

Al igual que el principio de responsabilidad única, una clase no debe tener varias razones para cambiar. El Principio común de cierre establece que un componente no debe tener muchas razones para cambiar. Esto significa que un componente no debe cambiar con frecuencia.

Para la mayoría de los desarrolladores de aplicaciones, tienden a mantener la aplicación que la reutiliza. Para ellos, la capacidad de mantenimiento de las aplicaciones es primordial que la reutilización. Si un desarrollador necesita cambiar algo en un código, preferiría que todas las alteraciones se produzcan en un componente más bien se han dispersado en muchos componentes. Si los cambios están restringidos a un componente, solo el componente modificado necesitará implementación. Los componentes que no se basan en el componente modificado no tendrán que ser revalidados o reimplementados.

El Principio de cierre común le permite recopilar todas las clases o módulos que probablemente sufrirán cambios por la misma razón en un solo lugar. Dos clases que están juntas, física o conceptualmente, y tienen la necesidad de cambiar juntas deben mantenerse en el mismo componente. Si esto se hace, minimiza el problema de liberar, revalidar y volver a implementar el software. Este principio se refiere al Principio Abierto-Cerrado. Recuerde, el Principio Abierto-Cerrado indicaba que las clases o módulos debían abrirse para su extensión, pero cerrarse para su modificación. La mayoría de las clases no se pueden cerrar completamente, por lo que se debe planificar el cierre de las clases. Las clases deben diseñarse de tal forma que no estén abiertas a los cambios comunes que conocemos o hemos experimentado.

La importancia del Principio común de cierre es que le ilumina que necesita reunir clases que están relacionadas con el mismo tipo de cambios. Así que en el futuro, si hay una necesidad de algo para cambiar, el cambio no afectará a otros componentes.

El Principio común de cierre es similar al Principio de Responsabilidad Única. Sólo que el CCP es más del tipo de componente del SRP. Los principios de responsabilidad única tienen que ver con la separación de métodos de diferentes clases si es probable que cambien debido a diferentes razones. El Principio común de cierre habla sobre la separación de clases que pueden cambiar debido a diferentes razones en diferentes componentes. La comprensión de estos principios da a luz esto:

> *Reúne cosas que cambien al mismo tiempo por la misma razón. Luego, segrega cosas que cambiarán en diferentes momentos o por diferentes razones.*

El principio común de reutilización

Este principio se simplifica con esta frase: no aplique un componente que no sea necesario en un usuario.

Este principio es útil para saber qué clases y módulos deben colocarse en un componente. Explicando más, da espacio a las clases que se pueden reutilizar para ser juntas en el mismo componente. Las clases aisladas rara vez se reutilizan. Así que las clases que son reutilizables se unen con otras clases que son un segmento de la abstracción reutilizable. El principio de reutilización común dicta que dichas clases deben estar en el mismo componente. Las clases en el mismo componente tendrán la ventaja de disfrutar de muchas dependencias entre sí.

Una ilustración es la de una clase contenedora con iteradores asociados a ella. Reutilizar las clases será una cosa fácil porque ya están acopladas. Así que pueden estar en el mismo componente. El CRP explica más que sólo qué clases son compatibles. También ilumina a los desarrolladores en cuanto a qué clases son incompatibles. Una dependencia de componente se produce cuando un componente utiliza otro. Por ejemplo, el componente *using* utiliza solo una clase, *componente utilizado.* Esto no alteró la dependencia. El componente *de uso* sigue dependiendo de los componentes *utilizados.* Debido a la dependencia entre los dos componentes, cualquier ligero cambio en el componente de *usuario* alterará el componente *using.* Esto no importa si el *uso* de componentes necesita el cambio; el componente se volverá a compilar, revalidar y volver a implementar.

En este principio, los componentes dependen unos de otros. Esta dependencia es entre clases en el mismo componente. De esta manera, las clases que están en un componente no son separables. Nos muestra más sobre las clases que son incompatibles con las compatibles. Las clases que no tienen conexiones o relaciones profundas entre sí no deben estar en el mismo componente.

El Principio de Reutilización Común es la forma general del Principio de Segregación de Interfaz. Recuerde, el ISP dijo que no debemos depender de clases que tienen métodos que no necesitamos. ¿Qué dice el CRP? Dice claramente que no debemos depender de componentes que posean las clases que no necesitamos.

Conclusión

Deberías haberte dado cuenta de que allí estos tres principios tienden a contradecirse entre sí a intervalos. El Principio de Equivalencia de Reutilización y el Principio común de cierre se conocen como principios inclusivos. Su impacto es ampliar los componentes. Durante el Principio de Reutilización Común es el único miembro del principio exclusivo. Este principio hace que un componente sea más pequeño. Conseguir el equilibrio entre estos principios es una guerra que el desarrollador debe luchar y servir a la justicia y el equilibrio. Si un desarrollador decide usar más del Principio de equivalencia de reutilización y el Principio de reutilización común, logrará cambios simples. Cuando un arquitecto ahora decide usar el principio de cierre común y el principio de equivalencia de liberación, solo causará demasiadas actualizaciones redundantes.

Un buen arquitecto necesita colocarse en un punto de vista del equipo de desarrollo. Debe saber lo que necesitan y quieren. Debe recordar que sus necesidades y deseos cambiarían con el tiempo. Un ejemplo está en el desarrollo temprano de software; el Principio común de cierre es mucho más primordial que el Principio de equivalencia de reutilización. ¿por qué? Porque la capacidad de desarrollarse en esta etapa es importante que la reutilización.

Básicamente, los proyectos, en la mayoría de las ocasiones, comienzan con el Principio común de cierre, el grupo de mantenimiento. Al comenzar con CCP, está arriesgando su capacidad de reutilizar el sistema. A medida que el proyecto se desarrolla, comienzan a ponerse en marcha más necesidades, y el proyecto proporcionará una vía para otros proyectos. A continuación, ahora podemos aventurarnos en el Principio de equivalencia de reutilización/liberación, el grupo para los reusuarios. En esta etapa, la estructura de componentes de un proyecto cambiará con el tiempo y la madurez. Esto se siente con cómo se desarrolla y utiliza el proyecto que cuál es el problema que el proyecto está resolviendo.

Mirando estos principios de cohesión, parecen tener más contexto que su significado natural. Sé que pensarías que la cohesión era simplemente una característica que tiene un módulo, y se usa para realizar una sola función. Con esta breve introducción y detalles, creo que pueden ver que esto no es un asunto menor. Debemos considerar estos tres principios a la hora de elegir las clases. Para elegir una clase para agrupar en componentes, debe tener en cuenta estos principios. Lo más importante, considere la reutilización y las fuerzas de desarrollo- capacidad. Equilibrar las necesidades de la aplicación con estas fuerzas no es una pequeña hazaña. El equilibrio siempre está cambiando, ya que un desarrollador seguirá atendiendo a nuevas versiones. Si no hay un buen mantenimiento, es posible que el proyecto de este año no esté disponible para su uso el próximo año. Esa es la razón principal; un desarrollador debe ser dinámico. Debería estar listo para pasar del sector del desarrollo a la era de la reutilización.

Acoplamiento de componentes

Hemos estado hablando de componentes para algunas páginas ahora. Continuamos nuestro viaje en componentes. En este capítulo, discutiremos los tres principios que rigen la relación de un componente. No podremos evitar el choque de la capacidad de desarrollo y los diseños lógicos. Hay tres fuerzas que interfieren con la arquitectura de una estructura de componentes. Son fuerzas técnicas, políticas y volátiles.

El principio de dependencias acíclicas

Imagina que construiste una máquina. Sólo para que usted duerma y despierte y descubra que la máquina ya no funciona. ¡Eew! ¿Entonces empiezas a preguntarte dónde salió mal?

Tal cosa ocurre mucho en entornos de desarrollo. En estos entornos, muchos desarrolladores están trabajando duro en los mismos códigos fuente. Si es un proyecto pequeño, no hay problema, trabajar en él será rápido. Pero en un gran proyecto con desarrolladores de niñeras a bordo trabajando con seriedad. Sus mañanas sufrirán por ello. Cualquier cosa puede ir por un bien mayor. Es normal que un equipo trabaje durante meses antes de poder producir una versión estable del software. Durante esos períodos, cada desarrollador está tratando de cambiar los códigos para hacer que el software funcione e incluso producir una versión estable.

A lo largo de los años, sólo se han aportado dos soluciones a este asunto. Estas soluciones fueron proporcionadas por las empresas en líneas de telecomunicaciones. Las soluciones son

1) La construcción semanal

2) El principio de dependencias acíclicas

La construcción semanal

Esto se utiliza comúnmente con proyectos de tamaño medio. ¿Cómo funciona? Es simple. Todos los desarrolladores deben reanudar el trabajo en el mismo y deben desecharse unos a otros durante los primeros cuatro días de la semana. Todos deberían trabajar solos en sus códigos. Se les debe decir que no se molesten por la integración de sus códigos en aquellos días. En el quinto día, que es un viernes, todos se reúnen e integran sus códigos y finalizan el sistema. Aquí, un desarrollador tiene suficiente tiempo e independencia para sí mismo. La desventaja de esta solución radica el viernes. La integración de los códigos es la tarea hercúlea y un defecto. Es posible que no puedan terminar de integrar los códigos. Esto lleva a algunas decisiones como trabajar los sábados o la integración comienza un jueves. Esto puede conducir a una disminución en la eficiencia de los desarrolladores. Cuando el período de trabajo normal se extiende hasta los sábados, la gente se frustra. La baja eficiencia de los equipos aumentará la integración y el tiempo de prueba.

La solución a este problema es dividir los entornos de desarrollo en componentes reutilizables. Estos componentes pueden considerarse como unidades de trabajo y la responsabilidad de un desarrollador o un equipo de desarrolladores. Cuando un equipo desarrolla un componente que está funcionando, se lo da a otros equipos para su uso. Lo liberan con un número de versión y lo cargan en el directorio. A continuación, los otros equipos utilizan y modifican los componentes liberados. A medida que se liberan los componentes subsiguientes, depende del desarrollador o del equipo usarlo. Por lo tanto, la integración se produce gradualmente. De este tipo, no hay una hora especificada o un viernes que todos los desarrolladores deben integrar los componentes.

Esta solución es ampliamente aceptada como un enfoque racional. Para lograr un éxito óptimo con este proceso, debe administrar la estructura de las dependencias de componentes. Tenga en cuenta que no puede haber ningún ciclo en este proceso porque el ciclo crea problemas.

Esta solución ha dado lugar a una cosa que es cierta: la estructura de componentes se puede crear de arriba hacia abajo. Nadie diseña un sistema así, pero más tarde cambiará a ese tipo de diseño. Sé que esto suena diferente de la definición convencional. Usted espera que la descomposición de unidades grandes, como los componentes, también será una descomposición funcional de alto nivel. Cuando una agrupación de unidades grandes, por ejemplo, una estructura de dependencia de componentes, tenemos la noción de que el componente representa la función del sistema. Una estructura de dependencia de componentes no tiene nada que ver con describir la función de un sistema. Más bien, sirven como una guía para la capacidad de construcción y mantenimiento del sistema. Esto no se incluye al inicio del desarrollo del sistema. Por lo tanto, a medida que se introducen nuevos módulos y clases, es necesario administrar estas dependencias. Debido al hecho de que queremos tener cambios localizados, por lo que llamamos la atención al Principio de Responsabilidad Única y al Principio común de cierre. Estos principios ayudan a unir las clases que probablemente cambien.

Una de las principales preocupaciones de esta estructura de dependencia es aislar componentes volátiles. Nadie quiere un cambio que ocurra con frecuencia. Cualquier cambio espontáneo puede causar inestabilidad en el sistema. Por ejemplo, no quiero que ningún cosmético cambie a la interfaz gráfica de usuario para afectar a nuestras reglas de negocio. No quiero que las alteraciones y adiciones de un informe afecten a las políticas comerciales. Una estructura de decencia de componentes es creada y desarrollada por los arquitectos para proteger los componentes estables de alto nivel de los volátiles a medida que el sistema sigue creciendo, nuestra preocupación por la creación de elementos reutilizables. Entonces entra en juego el Principio de Reutilización Común. Influye en la composición de los componentes. Cuando los ciclos comienzan a entrar en juego, entonces adoptas el Principio de Dependencias Acíclicas.

Si la estructura de dependencia de componentes se creó antes de la creación de cualquier clase, es probable que el proyecto sea un error porque nadie sabrá sobre el cierre común y los elementos reutilizables. Con eso, terminaríamos creando componentes que produjeran ciclos de dependencia. La estructura de dependencia se desarrolla en torno al diseño lógico de un sistema.

El principio de dependencias estables

No todos los diseños pueden ser estáticos. Algunas estructuras volátiles son necesarias si un diseño para vivir mucho tiempo. Usando el Principio de Cierre Común, podemos crear componentes que son delicados para algunos cambios específicos pero inmunes a otros cambios. Algunos de estos diseños son necesarios para ser volátiles, ya que esperamos que cambien. Si reconoce un componente volátil, un componente que es difícil de modificar no debería depender de él. Este último hará que el componente volátil sea difícil de cambiar. Será un grave peligro de software que usted ha diseñado para ser simple de cambiar puede ser difícil de cambiar por alguien que tiene problemas con la dependencia. Mediante el principio de dependencias estables, garantiza que los módulos que están destinados a cambiar fácilmente no se basan en módulos que difícilmente pueden cambiar.

¿Qué es la estabilidad? Esta es la condición de estar estable o estar en equilibrio o no ser movido. Imagina que pones un bolígrafo en una mesa, y no está rodando. Entonces, está en un estado estable. Según la comprensión de la primera ley de movimiento de Newton, un cuerpo seguirá en reposo si no es actuado por ninguna fuerza. Esto significa que la pluma está en reposo y se puede mover por un poco de fuerza. Otra instancia es la de un vehículo que está estacionado. Sí, está en reposo y necesita una fuerza grande, o llamémoslo esfuerzo para moverlo desde esa posición. Usted se pregunta qué tiene que ver un automovil estacionado y un bolígrafo estacionario con el diseño de software. Muchos factores entran en juego para hacer que un componente de software sea difícil de cambiar. Factores como; tamaño, claridad, complejidad, escalabilidad y otros. No nos preocuparemos con estos factores. Uno de los factores que pueden hacer que un componente sea difícil de cambiar es su capacidad para permitir que otros componentes de software dependan de él. Un componente de software con muchas dependencias entrantes suele ser muy estable. Requiere una gran cantidad de trabajo para incorporar cualquier cambio nuevo con todos los componentes de software dependientes.

Otra ilustración es el componente A que es estable. El componente A ahora tiene tres componentes de software diferentes dependiendo de él. Con eso, el componente A tiene tres razones válidas para no cambiar. Al mismo tiempo, el componente A no tiene nada de qué depender. Así que no tiene fuerza externa que lo influya para cambiar. Por lo tanto, podemos decir que el Componente A es Independiente. Como si pasara en política. Un político sin padrino es independiente de cualquier presión.

Por otro lado, el componente B es un componente de software inestable. No hay ningún componente de software que dependa de él. Es seguro pronunciar el componente B como un componente de software irresponsable. Tiene tres componentes diferentes que dependen de él. Por lo que reaccionará a cualquier ligero cambio de cualquier componente del que depende. El componente B es un componente de software dependiente. Al igual que un minorista, si los mayoristas no le suministran ningún producto, no tendrá nada que ofrecer.

¿Cómo podemos medir la estabilidad?

Hemos estado discutiendo el principio de dependencias estables y la estabilidad también por un tiempo. Pero, ¿sabemos cómo medir la estabilidad de un componente? ¿Sabemos si es muy estable o no? Puede medir la estabilidad de un componente contando el número de dependencias que entran y salen del componente. Estos recuentos le permitirán saber lo que se llama estabilidad posicional. Es importante tener en cuenta algunos términos implicados en el cálculo.

Fan-in: estas son las dependencias entrantes. Las dependencias entrantes se utilizan para denotar el número de clases fuera del componente y dependen de las clases dentro del componente.

Fan-out: estas son las dependencias salientes. Las dependencias salientes se utilizan para denotar el número de clases dentro de la competente y dependen de las clases fuera del componente.

I: esto se conoce como inestabilidad. Esta es la calidad de un componente que es inestable.

I - Fan-out / (Fan-in + Fan-out)

Tenga en cuenta que esta medida tiene el rango [0,1]. Cuando i 0, esto significa que el componente es máximo estable. Cuando yo es 1, esto significa que el componente es máximo inestable.

Las métricas Fan-in y Fan-out se conocen contando el número de clases que están fuera de los componentes que tienen dependencias con las clases del componente.

Imagina que quiero determinar la estabilidad de un componente, TD. TD tiene tres clases afuera, y dependen de ello. TD ahora solo tiene una clase fuera del componente del que dependen las clases dentro de él.

Cálculo

Fan-in n.o 3

Fan-out n.o 1

por lo tanto

I - Fan-out / (Fan-in + Fan-out)

I 1 / 1+3

I 1/4

Cuando la métrica Inestabilidad, I, es equivalente a 1; muestra que ningún otro componente depende de él, es decir, Fan-in 0. Este componente también tiene dependencias en otros componentes, es decir, Fan-out es mayor que 1. Se dice que un componente de este tipo es irresponsable y dependiente. Debido a la ausencia de dependientes en él, el componente puede cambiar por cualquier pequeña razón.

Cuando la métrica de inestabilidad, I, es equivalente a 0; muestra que otros componentes dependen de él, es decir, Ventilador > 0. Dicho componente tampoco tiene dependencias en otros componentes, es decir, Fan-out n.o 1. Se dice que un componente de este tipo es responsable e independiente. Debido a la presencia de dependientes en él, el componente no se acomodará a ningún cambio.

Sea más claro del hecho de que en C++, las dependencias se representan mediante la instrucción include. Aquí, la métrica de inestabilidad es fácil de calcular cuando tiene un código fuente organizado. En el código fuente organizado, habrá una clase en cada archivo de origen. En Java, la métrica de inestabilidad se puede conocer contando las instrucciones de *importación* y los nombres completos.

El principio de dependencias estables establece que la métrica de inestabilidad de un componente de software debe ser mayor que la métrica de inestabilidad de los componentes de los que depende. Esto significa que la métrica de inestabilidad debe disminuir en la dirección de la dependencia.

El principio de abstracciones estables

Algunos programas no deberían cambiar muy a menudo. Este software retrata dos cosas: arquitectura de alto nivel y decisiones políticas. Nadie quiere decisiones comerciales y arquitectónicas volátiles. El software que oculta las políticas de alto nivel en el sistema se coloca en los componentes estables, es decir, la métrica de inestabilidad, I - 0. El software volátil debe colocarse en los componentes inestables, es decir, la métrica de inestabilidad, I .

El Principio de Abstracciones Estables establece una conexión entre la estabilidad de un sistema y la abstracción de un sistema. Una parte de la principal afirma que un componente de software estable también puede ser abstracto para que su estabilidad no impida que sea extensible. Otra parte del principio también afirma que un componente inestable debe ser rígido, ya que su inestabilidad puede hacer que cambie una sintaxis rígida en el componente.

Un componente estable tendrá interfaces y clases abstractas. Esto hará que el componente sea extensible. Un componente estable que es extensible es flexible y no se fuerza a sí mismo en la arquitectura. El principio de abstracciones estables y el principio de dependencias estables, cuando se juntan, forman el principio de inversión de dependencia de un componente. SDP afirma que las dependencias deben moverse en la dirección de la estabilidad. SAP, por otra parte, afirma que la estabilidad implica abstracción. Con esto, podemos decir que las dependencias funcionan en la dirección de la abstracción.

El principio de inversión de dependencia se ocupa de las clases. Una clase es abstracta o no. Pero la combinación del Principio de Dependencias Estables y el Principio de Abstracciones Estables se ocupa de los componentes. Su combinación puede hacer que un componente sea estable y abstracto.

La abstracción de un componente se puede medir con la métrica de abstracción, A. Se calcula por la relación entre interfaces y clases abstractas presentes en un componente y la cantidad total de clases en los componentes.

A - NC / Na

A - Abstracción

Nc: el número de clases en el componente.

Na: el número de clases e interfaces abstractas en los componentes.

La métrica de abstracción oscila entre 0 y 1. Un valor de abstracción de 0 significa que el componente de software no tiene clases abstractas en absoluto. Un valor de abstracción de 1 significa que el componente de software contiene clases abstractas.

Conclusión

Los principios aquí discutidos hablaban de la conformidad de un dibujo o modelo con un modo de dependencia y abstracción. Este es un buen modo. A lo largo de los años, muchos han notado que algunas dependencias son buenas, y algunas son malas. así es la vida. Este patrón le dirá cuál es bueno o malo. Sin embargo, tenga en cuenta que una métrica no es un dios. Es sólo una medida que muestra un estándar arbitrario. Estas métricas no son perfectas. Puede que te resulte útil, pero no confíes en ellos cada vez.

Capítulo 6

Arquitectura

¿Qué es la arquitectura?

El término "arquitectura" te hace pensar en decisiones de peso y profunda destreza técnica. La arquitectura de software está en el más alto nivel de logro técnico. Cuando estamos pensando en un arquitecto de software, atribuimos a esa persona a alguien que tiene poder y manda respeto. Es el sueño de todo desarrollador de software convertirse en un arquitecto de software. Incluso todo el mundo quiere ser el mejor arquitecto de software.

Pero la mayoría de estas personas ni siquiera saben el significado de la arquitectura de software. No saben lo que hace un arquitecto de software. Como cualquier otro desarrollador, un arquitecto de software es un programador y siempre será un programador. No se deje engañar por la palabra 'arquitecto de software'; esto no significa que ya no hará códigos simples. Los arquitectos de software forman parte de los mejores programadores de la Tierra. El programa y gestionar un equipo hacia la producción de un diseño que maximizará la productividad. Puede que no estén funcionando y codificando como otros programadores, pero siguen codificando a intervalos. Se mantienen ocupados con la codificación para que puedan tener una idea de lo que otros están haciendo.

La arquitectura/diseño del software del sistema es la forma o estructura diseñada para el sistema por los programadores que lo construyeron. La estructura de esa forma está en la segmentación del sistema en componentes, la forma en que se organizan los componentes y el modo de comunicación. El objetivo de la forma es simplificar la acción, el despliegue, el desarrollo y el mantenimiento del sistema del software.

El inicio de sesión detrás de la simplificación es abrir tantas opciones como sea posible, durante el mayor tiempo posible.

La declaración anterior puede ser un poco confusa. Probablemente pensó que el objetivo principal de la arquitectura de software es hacer que un sistema de software funcione bastante bien. Sin duda, todo el mundo quiere que el sistema funcione eficientemente, y la arquitectura del sistema debe apoyar eso como una de sus más altas tareas.

Además, la arquitectura de un sistema tiene un poco de derecho sobre si un sistema funciona. Cuando nos fijamos en la mayoría del software, se da cuenta de que están trabajando normalmente, pero como arquitectura, no le gustará. Su arquitectura era pobre. No tendrán problemas con la acción del sistema, pero tendrían problemas en la implementación, el mantenimiento y el desarrollo. Esto no significa que la arquitectura no desempeñe un papel en el comportamiento adecuado de un sistema. Tiene un papel crítico que desempeñar, aunque no es esencial.

El propósito fundamental de la arquitectura es apoyar el ciclo de vida del sistema. Una buena arquitectura hace que un sistema sea fácil de entender, fácil de desarrollar, fácil de mantener, fácil de operar y fácil de implementar. El objetivo más alto es reducir el costo de por vida de un sistema y maximizar la productividad del programador.

Desarrollo

Un sistema de software que es difícil de desarrollar puede no tener una vida larga y saludable. Así que una arquitectura de un sistema hará que un sistema sea fácil de desarrollar.

Hay diferentes estructuras de equipo. Estas estructuras implican diferentes decisiones arquitectónicas. Un pequeño equipo de cuatro desarrolladores puede trabajar eficazmente juntos para desarrollar un sistema monolítico sin componentes o interfaces bien definidos. Un equipo puede encontrar que las estructuras de la arquitectura son un problema cuando simplemente inician el desarrollo. Esta es la razón por la que algunos sistemas carecen de una excelente arquitectura.

Sin embargo, un sistema que está siendo creado por cuatro equipos diversos con cinco desarrolladores cada uno como miembros no será capaz de progresar hasta que el sistema se segmenta a componentes distintos con interfaces estables que son confiables. Si no está considerando otros factores, el diseño del sistema cambiará a cuatro componentes, cada uno de ellos representando a un equipo.

Cuando esto sucede, afectará a la arquitectura. La arquitectura no será buena para la implementación, operación y mantenimiento del sistema. Es la arquitectura hacia la que el grupo del equipo conducirá si se controla únicamente por la programación de desarrollo.

Despliegue

Para que un sistema de software sea eficaz, un sistema debe ser desplegable. Cuanto menor sea el costo de implementación, más útil será el sistema. Uno de los objetivos de la arquitectura de software es hacer que un sistema se implemente con una sola acción. La estrategia de implementación rara vez se utiliza durante el desarrollo inicial. Esto eventualmente conduce a arquitecturas que pueden facilitar el desarrollo del sistema, pero su implementación sea difícil. Por ejemplo, en la etapa inicial de desarrollo de un sistema, un equipo de desarrolladores puede decidir hacer uso de una arquitectura de microservicios. Tienden a utilizar esta arquitectura porque sienten que el sistema será fácil de desarrollar. Los límites de los componentes del sistema son muy firmes, y las interfaces son relativamente estables. Estarán disfrutando de los servicios hasta que tengan la intención de desplegar el sistema. Es entonces cuando descubrirán que el número de microservicios se ha vuelto preocupante. La configuración de las conexiones entre ellos y el momento de su iniciación puede dar lugar a un montón de errores.

Si los arquitectos hubieran considerado los problemas de despliegue al comienzo del desarrollo del sistema, habrían elegido menos servicios. Habrían añadido una mezcla de servicios y componentes en proceso y un medio integrado para gestionar las interconexiones.

Operación

El resultado de la arquitectura en el funcionamiento del sistema parece ser menos dramático que el impacto de la arquitectura en el desarrollo, la implementación y el mantenimiento de software. Las dificultades operativas se pueden resolver mediante el uso de más hardware con el sistema sin afectar drásticamente a la arquitectura de software.

Hemos visto sistemas de software con arquitecturas terribles, y están funcionando muy bien. Funcionarán eficazmente cuando tengan almacenamiento y servidores más que suficientes. La cosa es que el hardware es barato, y la gente es costosa. Las arquitecturas que dificultan el funcionamiento no son tan costosas como las arquitecturas que obstaculizan el desarrollo, la implementación y el mantenimiento de software.

Como se dijo al principio de este subtema, la ecuación de costos del desarrollo, implementación y mantenimiento de software es alta. Otro papel que debe desempeñar la arquitectura aquí es que una buena arquitectura de software se comunica con el sistema sobre sus necesidades operativas. Básicamente estoy diciendo que la arquitectura del sistema hace que el sistema esté disponible para los desarrolladores para su funcionamiento. Una buena arquitectura debe revelar el funcionamiento. Debe liberar los casos de uso, las propiedades y los comportamientos necesarios del sistema que son importantes para los desarrolladores. Esto demuestra que cuando usted entiende un sistema, el desarrollo y el mantenimiento será fácil.

Mantenimiento

Requiere dinero para comprar un automovil. Requiere más dinero para mantenerlo durante años. Del mismo modo, en un sistema de software, el mantenimiento es el más caro. Al agregar una nueva propiedad o eliminar una, debe asegurarse de que el sistema de software sigue funcionando perfectamente. También implica riesgo. Al intentar aplicar una nueva función, otra cosa puede ir. Es como una cirugía que un médico está tratando de salvar una vida; puede terminar matando al paciente.

Con una arquitectura de pensamiento adecuada, el precio puede reducirse. Puede dividir el sistema en componentes. A continuación, coloque estos componentes por separado utilizando una interfaz estable. Con esto, el sistema estará disponible para cualquier nueva característica que se agregue a él. Esto reducirá el riesgo y el costo de mantenimiento.

Valores de software

El software tiene dos valores: el valor de su comportamiento y el valor de su estructura. El segundo valor mencionado anteriormente es el más importante. Este valor hace que el software refleje su suavidad. La gente se quejaba de que necesitaba una manera de alterar rápida y fácilmente el comportamiento de las máquinas. Entonces, el software fue inventado. La flexibilidad del software depende fundamentalmente de la forma de un sistema. También depende de la disposición y conexión de sus componentes. Cuanto más tiendes a hacer la suavidad de una cosa para permanecer en el software, más opciones tienes.

El objetivo del arquitecto de software es desarrollar una estructura para el sistema que identifique la política como el elemento más importante de un sistema mientras diseña los detalles del software para que no tenga sentido a la política. Esto hace que las decisiones que contienen esos detalles sean tardías o diferidas.

Ejemplos de estos detalles incluyen:

La elección de un sistema de base de datos puede no ser necesaria al principio del desarrollo de software porque el tipo de uso basado en datos no debe importar a la directiva de alto nivel. Si el arquitecto controlaba la estructuración con cuidado, no importaría a la directiva de alto nivel si la base de datos está distribuida, jerárquica, relacional o simplemente un archivo sin formato.

Elegir un servidor web también puede no ser necesario para la etapa temprana del desarrollo de software, ya que debe estar oculto de la directiva de alto nivel que se está entregando a través de la web. Si la directiva de alto nivel no conoce el HTML, JSP o cualquier otra entidad en la sopa de alfabetos de desarrollo web, entonces no tendrá que elegir el sistema web que se usará hasta más adelante en el desarrollo.

No es importante adoptar REST al principio del desarrollo de software. La directiva de alto nivel debe ser inconsciente de la interfaz con el mundo exterior. No es necesario que un desarrollador adopte un marco de microservicios o un marco SOA. La política de alto nivel no se preocupará por estas cosas.

No es importante adoptar una inyección de dependencia al principio del desarrollo de software. La directiva de alto nivel no se refiere a cómo se resuelven las dependencias.

Creo que entiendes lo que digo. Si es posible que pueda crear una política de alto nivel sin molestar los detalles que la encierran, entonces usted será capaz de retrasar y posponer la toma de decisiones sobre los detalles durante mucho tiempo. Cuanto más tiempo tome en decidir sobre los detalles, más información tendrá a su disposición para tomar sus decisiones correctamente.

Esto también da espacio para probar muchos experimentos. Si tiene algunas partes de la directiva de alto nivel en funcionamiento y no es consciente de la base de datos, puede intentar conectarla a varias bases de datos diferentes para comprobar su aplicabilidad y rendimiento. Esto es lo mismo con los sistemas web, marcos web, o incluso la propia web. Cuanto más tiempo estén abiertas las opciones, más proyectos podrás probar. Cuanta más información tenga cuando llegue a las etapas de toma de decisiones.

Recuerde, un buen arquitecto utiliza decisiones que no están en uso. De esa manera, él será capaz de evitar el uso de las decisiones que se han utilizado.

Conclusión

Los buenos arquitectos se aseguran de que los detalles y las políticas estén separados. Se aseguran de que desacoplan la política de los detalles. Esto es de lo que se habla el capítulo recién concluido. Un buen arquitecto hace política de una manera que las decisiones sobre los detalles pueden retrasarse o aplazarse.

Capítulo 7

Independencia del Software

Los casos del sistema

Esto significa que el diseño de un sistema debe apoyar el propósito real del sistema. Si el software está diseñado para las apuestas, el arquitecto debe admitir los casos de uso de las apuestas. Esta debe ser la máxima prioridad del arquitecto. La arquitectura debe admitir los casos de uso. Recuerde, la arquitectura no influye en todo el comportamiento del sistema. Lo más importante que un buen diseño puede hacer es apoyar el comportamiento del sistema. Si lo hace, aclarará y expondrá el comportamiento para que el propósito del software sea visible a nivel arquitectónico.

Una aplicación de apuestas con buena arquitectura será similar a una aplicación de apuestas. Los casos de uso de dicho sistema serán visibles dentro de la estructura de dicho sistema. Los desarrolladores no tendrán que encontrar comportamientos. Esos comportamientos son elementos de primera clase que son visibles en el nivel superior del sistema. Estos elementos son clases o módulos o funciones que tienen posiciones únicas dentro de la arquitectura. También tienen nombres que describen claramente sus funciones.

Funcionamiento del Sistema

La arquitectura de un sistema desempeña un papel más importante en el apoyo al funcionamiento del software. Si el sistema está diseñado para manejar 20.000 clientes por segundo, el diseño debe admitirlo. Debe admitir la respuesta y el tiempo de respuesta para cada usuario. Si el sistema necesita big data, el diseño debe estar listo para acomodar dicha característica.

Para algunos sistemas de software, esto implica que necesita organizar los elementos de procesamiento del sistema en una lista de pequeños servicios que se pueden ejecutar en diferentes servidores. Para otros sistemas, significa un exceso de pequeños subprocesos que comparten el mismo espacio de direcciones de un único proceso dentro de un único procesador. Algunos sistemas necesitan solo unos pocos procesos que se ejecutan en espacios de direcciones aislados, mientras que algunos sistemas pueden vivir más tiempo como un programa simple en un solo proceso.

Esta elección es una de las decisiones que un buen arquitecto deja abiertas. Un buen arquitecto puede mantener el aislamiento adecuado de los componentes de un software y no asumirá los medios de comunicación entre esos componentes. De esta manera, será mucho más fácil transitar a través del espectro de hilos, procesos y servicios a medida que las necesidades operativas del sistema evolucionen con el tiempo.

Desarrollo

La ley de Conway establece que cualquier organización que diseñe un sistema de software producirá la estructura de un diseño que es una copia del software de comunicación de la organización.

Un sistema debe ser desarrollado por una organización con muchas preocupaciones. El software debe tener una arquitectura que ayude a iniciar acciones independientes por parte de los equipos de la organización. Esto restringirá la interferencia de los equipos durante el desarrollo del software. Esto se puede lograr segmentando el sistema en componentes independientes y desarrollables.

Despliegue

La arquitectura desempeña un papel importante en saber lo fácil que se puede implementar un sistema. El objetivo de un sistema debe ser la implementación inmediata. Una buena arquitectura de software no debe depender de pequeños scripts de configuraciones y ajustes de archivos de propiedades. No requerirá la creación manual de directorios de archivos o archivos que se deben organizar. Una buena arquitectura de software ayuda al software a implementarse inmediatamente después de la compilación.

Esto se puede hacer a través de la segmentación y aislamiento adecuados de los componentes del sistema de software.

Mirando los puntos mencionados anteriormente, es posible que se pregunte cómo un sistema de software cumplirá con todas estas características. Una buena arquitectura es una arquitectura que mantiene un equilibrio entre todas estas características mediante el uso de una estructura de componentes que las satisface a todas. Sé que esto te parece fácil. Pero en realidad, esto es difícil. El principal problema es que no conoce todos los casos de uso, las restricciones operativas, la estructura del equipo o los requisitos de implementación. Incluso si usted sabe todos ellos, el sistema seguirá cambiando. Estas preocupaciones no son reales y no se pueden satisfacer todo el tiempo.

Algunos principios de la arquitectura son fáciles de implementar y pueden ayudar a equilibrar estas preocupaciones incluso cuando no tiene una visión clara de sus objetivos. Estos principios nos ayudan a dividir el sistema en componentes bien aislados que le permiten tener muchas opciones.

Un buen diseño hace que el sistema sea fácil de cambiar.

Desacoplamiento de capas

Aquí, vamos a considerar los casos de uso. El arquitecto quiere que la estructura de un sistema de software admita todos los casos de uso importantes. Pero el arquitecto no conoce todos los casos de uso. Es posible que el arquitecto no conozca el propósito principal del sistema. Es una aplicación de apuestas, ¿recuerdas? El arquitecto sólo necesita emplear el Principio de Responsabilidad Única y el Principio común de cierre para dividir estas cosas que cambian por diferentes razones y para cotejar aquellas cosas que cambian por las mismas razones.

Hay algunos cambios que son obvios. Al igual que las interfaces de usuario del software pueden cambiar por razones que no tienen nada que ver con las reglas de negocio. Los casos de uso tienen ambos elementos. Un buen arquitecto intentará separar la parte de la interfaz de usuario de un caso de uso. Este caso de uso proviene de la regla de negocio que está más estrechamente asociada con el dominio. Estas dos reglas cambiarán a diferentes tarifas y por diferentes razones. Deben separarse para que puedan cambiar de manera diferente. Un cambio de un componente no afectará al otro.

La base de datos, el lenguaje de consulta del sistema e incluso el esquema son detalles técnicos que las reglas de negocio o la interfaz de usuario no les importa. Estos elementos enumerados cambiarán independientemente de otros aspectos del sistema. La tarifa y las razones a las que cambian también serán independientes. La arquitectura los separará del resto del sistema para que puedan estar solos.

Dividimos el sistema en capas horizontales desacopladas, que consisten en la interfaz de usuario, reglas de negocio que se especifican para la aplicación, reglas de negocio independientes de la aplicación e incluso la base de datos.

Casos de uso de desacoplamiento

¿Todavía te estás preguntando qué otros detalles cambian por diferentes razones? Curiosamente, los casos de uso cambian por diferentes razones. Hay un caso de uso para agregar una orden a un sistema de entrada de pedidos que cambiará por diferentes razones a diferentes tarifas. Esto incluso cambia que un caso de uso que elimina una orden del sistema. Los casos de uso son una solución normal para dividir un sistema de software.

Casos de uso cortados a través de las capas horizontales del sistema. Incluso casos de uso para usar la interfaz de usuario. Usan algunas reglas de negocio que se especifican para una aplicación, reglas de negocio que son independientes de la aplicación y algunas funciones que puede hacer una base de datos.

Para lograr el desacoplamiento de casos de uso, separamos la interfaz de usuario del caso de uso de orden de adición de la interfaz de usuario del orden de eliminación. El mismo proceso también para las reglas de negocio y la base de datos. Esto significa que si usted es capaz de desacoplar los elementos del sistema que va a cambiar por diferentes razones, entonces usted será capaz de agregar nuevos casos sin molestar a los antiguos. Si también coloca la interfaz de usuario y la base de datos con los casos de uso juntos de una manera que diferentes casos de uso usan un aspecto diferente de la interfaz de usuario y la base de datos. Con esta acumulación, la adición de nuevos casos de uso no alterará los antiguos.

Modo de desacoplamiento

Ahora que hemos desacoplado los casos de uso, ¿cómo será la operación de desacoplamiento? Si hemos separado los casos de uso, entonces esos funcionarán a un alto nivel se separarán de aquellos destinados a trabajar a un nivel bajo. Puede separar la interfaz de usuario y la base de datos de las reglas de negocio. De esta manera, puede ejecutarlos con diferentes servidores. Aquellos que requerirán un gran ancho de banda para trabajar se pueden ejecutar con muchos servidores.

En el sentido real, el desacoplamiento que hicimos para los casos de uso está destinado a ayudar a las operaciones. Para utilizar ahora la ventaja del desacoplamiento, cree un modelo adecuado para el desacoplamiento. Un buen arquitecto se asegura de que algunas opciones estén abiertas. Una de estas opciones es el modo de desacoplamiento.

Duplicación

El miedo a la duplicación es el comienzo de la sabiduría. La mayoría de los arquitectos siempre caen en la trampa de la duplicación. La duplicación no es buena durante el diseño del software. Debe asegurarse de que no haya ninguna capa duplicada o código duplicado. Cuando el código se duplica, como un desarrollador de software honrado, sólo tiene que depurar el código y eliminar los duplicados.

La duplicación es de muchos tipos. Tenemos *una verdadera duplicación* en la que cada cambio a una clase iniciará la misma modificación a cada duplicado de la clase. Otra forma de duplicación es la pseudo duplicación. Esto ocurre cuando dos partes duplicadas del código parecen moverse en líneas diferentes.

Ahora tome una instancia donde dos casos de uso tengan las mismas estructuras de pantalla. Es posible que los arquitectos deseen compartir la sintaxis de la estructura. Si compartieron el código, ¿puede considerarse que es una duplicación? En caso afirmativo, ¿es una verdadera duplicación o pseudo duplicación?

Es evidente que hay duplicación, y es una pseudo duplicación.

Cuando se dividen los casos de uso verticalmente entre sí, se encuentra en tal situación. A continuación, la tentación se establecerá para poner los casos de uso juntos porque tienen las mismas estructuras de pantalla o los mismos algoritmos y las mismas consultas de base de datos. Tienes que resistir la tentación.

Cosas de las que debes tomar nota

Una arquitectura que permite crear un sistema como monolito se conoce como buena arquitectura. Este sistema debe poder desplegarse en una sola unidad. Dicho sistema debe poder dividirse en un conjunto de unidades desplegables.

Una buena arquitectura debe proteger la mayor parte de su código fuente del cambio espontáneo.

Una buena arquitectura pone a disposición el modo de desacoplamiento. Esto da espacio a grandes implementaciones.

Conclusión

Esto suena travieso. Los modos de desacoplamiento de un sistema de software son algo que cambia con el tiempo. Un buen arquitecto planificará antes de los cambios.

Capítulo 8

Límites de software

Si te tomas tu tiempo y miras el Atlas, verás algunas líneas que dividen estados de un país, países de un continente e incluso segmentos continentes del mundo. Esas líneas se consideran límites. Esto también se aplica a la arquitectura de software.

El arte de dibujar líneas en la arquitectura de software se conoce como límites. Los límites en el diseño de software separan los elementos entre sí. Los límites separan un elemento de conocer otro elemento. El arquitecto puso límites al principio del proyecto de software. Más adelante durante el proyecto, se establecerán algunos nuevos límites.

El objetivo principal de un arquitecto es minimizar el esfuerzo humano para crear y mantener el sistema.

Las decisiones prematuras son decisiones que no están relacionadas con los requisitos empresariales del sistema. Tales decisiones son bases de datos de software, bibliotecas de unidad, marcos, etc. Un buen software no depende de decisiones prematuras.

Cómo dibujar límites y cuándo dibujarlo

Estableces límites entre las cosas que importan y las que no. La interfaz gráfica de usuario no está conectada a las reglas de negocio, ponga un límite. La base de datos no está conectada a la interfaz gráfica de usuario, ponga un límite grande. ¿Qué más? Sí, la base de datos no está conectada a las reglas de negocio, ¡dibuja una línea!

Te estás preguntando por qué dibujarás una línea entre algunas de estas opciones. La mayoría de las personas tienen la idea de que la base de datos está conectada a reglas de negocio. Algunos incluso piensan que la base de datos es la madre de las reglas de negocio. Esto está mal. Las reglas de negocio pueden funcionar sin la base de datos. No se basa completamente en la base de datos. Las reglas de negocio no se refieren al esquema, ni al lenguaje de consulta ni a ninguna información sobre la base de datos. La función principal de una regla de negocio es capturar y guardar datos.

Una clase, *Venturerules,* utiliza una interfaz *Databaseinterface* para cargar y guardar datos. La clase DatabaseAccess , se comunica con la interfaz y dirige el funcionamiento de la base de datos real. Esto es sólo un ejemplo.

En una aplicación real, habría muchas clases de reglas de negocio, muchas clases de interfaz de base de datos y muchas implementaciones de acceso a bases de datos.

El límite está entre la *interfaz Database* y *DatabaseAccess.*

Entrada y salida

Los programadores y usuarios no saben realmente lo que es un sistema de software. En su mayoría piensan en la interfaz gráfica de usuario como el sistema, y no es así. Cuando pregunte sin algunas personas acerca de un sistema, las definirán en términos de interfaz gráfica de usuario. Esto está mal. La entrada y salida de un sistema no son tan importantes.

Siempre describimos software en términos de lo que vemos. Tomemos, por ejemplo, un juego de ordenador; nada le interesa más a un jugador que la interfaz: la resolución de la pantalla, el ratón, los botones funcionales, e incluso el sonido. Disfrutas del sonido de GTA, o PES incluso Super Mario. Lo que está descuidando es que detrás de cada aplicación exitosa, hay una columna vertebral sofisticada. Esta columna vertebral consta de estructuras de datos y funciones que nos permiten ver aquellas cosas que nos gustan. Lo sorprendente es que la columna vertebral no requiere la interfaz. Este conjunto de funciones se ejecutará eficazmente sin la interfaz. Te parece extraño que cómo se ejecutará un conjunto de códigos y no se muestre.

Arquitectura de plugins

Un plugin es un módulo que interactúa con otro dispositivo para agregar una imagen específica. Una arquitectura de plugin es un tipo de arquitectura que llama a código externo en algunos puntos sin siquiera conocer todos los detalles sobre el código. La arquitectura de plugins de una base de datos y una GUI crean un tipo de patrón que permite la adición de otros componentes. Este mismo patrón es empleado por sistemas que utilizan plugins de terceros. No se puede decir la historia de la tecnología de desarrollo de software sin mencionar los plugins. Los plugins son como catalizadores para establecer una arquitectura de sistema escalable y mantenible.

El argumento de los plugins

Tenga en cuenta estas dos aplicaciones: ReSharper y Visual Studio. Estos dos componentes fueron desarrollados por diferentes equipos. JetBrains es el fundador de ReSharper, y vive en Rusia. Visual Studio está hecho por Microsoft en Redmond, Washington. ¿Qué equipo puede dañarse entre sí? Con la historia de su estructura de dependencia, usted sabrá la respuesta. El archivo de origen de ReSharper depende del código de Visual Studio. Curioso, eso significa que ReSharper no puede afectar a Visual Studio. El equipo de Visual Studio puede destruir ReSharper como una cosa de Thanos. Recuerde que ReSharper es una extensión de Microsoft Visual Studio.

Un arquitecto debe asegurarse de que algunos módulos son inmunes entre sí. Deben hacerlo de manera que las reglas de negocio no se interrumpan cuando se produce un cambio en el formato de una página web o el esquema de base de datos. Los límites se emplean cuando hay un *eje de cambios.* Los elementos de un lado del límite deben cambiar a diferentes velocidades y por motivos diferentes a los elementos del otro lado del límite.

Las interfaces gráficas de usuario cambian por diferentes y por diferentes razones que las reglas de negocio. Esa es la razón por la que debemos poner un límite entre ellos. Las reglas de negocio también cambian a diferentes velocidades y razones diferentes también de los marcos de inserción de dependencias. Ellos también necesitarán un límite.

Mirando las decisiones que acabamos de promulgar, es sólo una representación del Principio de Responsabilidad Única. El principio establece dónde dibujar esquemas.

Conclusión

No se puede irrumpir en un sistema y empezar a dibujar líneas. Esto no es un juego para niños. Para decidir dónde colocar una línea de límite en la arquitectura de software, debe segmentar el sistema en elementos o componentes. Estos componentes son reglas de negocio y plugins que consisten en funciones importantes pero no están relacionados con el negocio principal. A continuación, coloque estos componentes en un patrón que todos se muevan hacia el negocio principal. Estos componentes deben organizarse en un nivel inferior hasta una abstracción de nivel superior.

Este capítulo muestra cómo entran en juego tres principios. Son el Principio de Responsabilidad Única, el Principio de Inversión de Dependencia y el Principio de Abstracción Estable.

Capítulo 9

Anatomía de un Límite

El diseño de un sistema de software es dado por un grupo de elementos de software y por los límites entre ellos. Los límites pueden ser de diferentes tipos.

En tiempo de ejecución, un cruce de límites no es un gran problema. Son sólo funciones en el lado opuesto del límite que están llamando a una función presente en el otro lado. Puede implicar el paso de datos. La forma de hacerlo de forma eficaz es crear un cruce de límites adecuado que coordine las dependencias del código fuente.

¿Por qué solo código fuente? Esto se debe a que cuando un módulo de código fuente está sujeto a cambios, los otros códigos fuente también pueden seguir el ejemplo. Incluso pueden volver a compilarse y, finalmente, volver a desplegarse. Lo que los límites tratan es administrar y construir compartimentos llamados cortafuegos contra este cambio.

Tipos de límites

- El temido monolito
- Componentes de despliegue
- Procesos locales
- Servicios

El monolito temido

Esto se considera como el tipo más simple y común de límite. Este límite arquitectónico no tiene una representación física estricta. Se describe con la segregación de funciones y datos dentro de un único procesador y un único espacio de direcciones. Esto es simplemente un modo de desacoplamiento. Recuerda, hablamos de ello algunas páginas atrás.

El hecho de que no puedas ver o sentir el límite no significa que no estén ahí. Están ahí y tienen funciones significativas. Si se introduce en un único archivo ejecutable, se aprecia enormemente la capacidad de desarrollar por sí misma y ordenar otros componentes para el ensamblaje final. Este tipo de diseño con este tipo de límite siempre dependerá del polimorfismo dinámico para gestionar sus dependencias internas. Aquí es donde entra en camino el sistema orientado a objetos. Con una programación orientada a objetos o un sistema igual de polimorfismo, los arquitectos ni siquiera considerarán el uso de punteros de una manera peligrosa para lograr el desacoplamiento adecuado. La mayoría de los desarrolladores piensan que el uso repetido de punteros para funcionar es arriesgado, por lo que evitan cualquier forma de segmentación de componentes.

La implementación de monolitos requiere compilación y vinculación estática.

Componentes de implementación

La representación física más fácil de un límite arquitectónico es una biblioteca vinculada dinámicamente como un archivo jar Java o una py de Python o una biblioteca compartida UNIX. La implementación de software no necesita una compilación. Los componentes se organizan y se entregan en forma binaria o en cualquier forma desplegable equivalente. Este es el modo de descupulo en el nivel de implementación. La implementación es sólo la recopilación de unidades de software desplegables de una manera conveniente.

La única diferencia entre los componentes de implementación y los monolitos es la compilación. Sus funciones son las mismas que ambas ocupan el mismo espacio de procesador y dirección. Los métodos para separar los componentes y administrar sus dependencias son similares. En los componentes de implementación, las comunicaciones a través de los límites son básicamente llamadas de función. Las llamadas a funciones son muy baratas. A veces, puede haber una vinculación dinámica o una carga en tiempo de ejecución entre estos componentes.

Tanto los monolitos como los componentes de implementación pueden hacer uso de una entidad denominada subproceso. Un subproceso no es un límite arquitectónico o una unidad de implementación. Un subproceso es solo una unidad 0rganisational que programa y ordena ejecuciones. Pueden estar en trozos sano o diminutos en el componente.

Procesos locales

Otra forma de líneas de límite es el proceso local. Este límite es mucho más fuerte que los dos mencionados anteriormente. Los procesos locales se originan básicamente desde la línea de comandos de un sistema o una llamada de sistema equivalente. Funcionan en el mismo procesador o en el grupo del procesador dentro de un multinúcleo. A diferencia de los otros dos mencionados anteriormente, los procesos locales se ejecutan en espacios de direcciones independientes. También implican protección de memoria de complementos. Por lo general, restringe algunos procesos de la memoria compartida. A veces, se utilizan particiones de memoria compartida.

La comunicación en los procesos locales se realiza con sockets o buzones o colas de mensajes. Un proceso local es un monolito vinculado estáticamente o componentes de implementación vinculados dinámicamente.

El método de segregación en el proceso local es el mismo que el de los componentes de monolito e implementación. Las dependencias del código fuente en los procesos locales apuntan hacia el límite y los componentes de alto nivel.

En los procesos locales, el código fuente de los componentes de alto nivel no tiene los nombres, ni las direcciones físicas ni las claves de búsqueda del Registro de los componentes de bajo nivel. El objetivo de la arquitectura es convertir componentes de bajo nivel en plugins de procesos de alto nivel. La comunicación en los procesos locales no se realiza mediante sockets, sino mediante llamadas al sistema operativo, cálculo de referencias y descodificación de datos y cambios de contexto entre procesos. Todos son caros en comparación con los tipos de comunicación en otro tipoy delimitador.

Servicios

Esta es la forma más fuerte de líneas de límite. Un servicio es un proceso que se originó desde la línea de comandos, al igual que el proceso local. Aquí, los servicios no dependen de su ubicación física. Dos servicios de comunicación pueden funcionar en el mismo procesador físico o multinúcleo, o puede que no. Los servicios pueden poner todo el proceso de comunicaciones a través de la red. Las comunicaciones a través de este límite son lentas en comparación con las llamadas de función. Puede entregar un mensaje en milisegundos o incluso segundos. Durante el acto de establecer el límite, debe intentar evitar el chat entre componentes. La comunicación en este tipo de límite debe implicar altos niveles de latencia. La latencia es la velocidad a la que un bloque específico de datos que se encuentra en una pista de datos gira alrededor del cabezal de escritura o lectura.

El objetivo arquitectónico también se aplica al límite del servicio. Los procesos de bajo nivel servirán como un plugin para los procesos de alto nivel. El código fuente de los procesos de alto nivel no debe tener ninguna información (un indicador de recursos universal) de ningún proceso de bajo nivel.

Conclusión

La mayoría de los sistemas, aparte de los monolitos, utilizan más de un tipo de límite. Un sistema puede utilizar límites de servicio junto con procesos locales. Un servicio es solo una representación de un conjunto de procesos locales que interactúan. En un proceso local o de servicio, puede encontrar un monolito que se compone de elementos de código fuente o un conjunto de componentes de implementación vinculados dinámicamente.

Esto indica claramente que los límites presentes en un sistema no son de un tipo. Hay mezclas de límites de chatty locales como monolito y límites que están más preocupados con la latencia como los límites de servicio.

Capítulo 10

Políticas de Software y Niveles

Política

Una política es un plan de acción adoptado por alguien o un grupo. Los sistemas de software son implementaciones de su política. En el nivel principal, un programa informático es su política. Un programa informático sirve como una representación detallada de su política.

En sistemas más pequeños, la directiva se desglosa en muchas declaraciones de política más pequeñas diferentes. Algunas partes de la política le informarán sobre el cálculo de las reglas de negocio. Algunas otras partes le dirán cómo se van a formatear algunos informes. Otros pueden informarle de cómo se realiza la validación de los datos que introduce.

Para desarrollar la arquitectura de software, debe familiarizarse con cómo separar estas políticas y reorganizarlas de la manera en que cambian. Las directivas que cambian por las mismas razones y, al mismo ritmo, en el mismo nivel, deben agruparse en el mismo componente. De lo contrario, las directivas que cambian por diferentes motivos, o en diferentes niveles o a diferentes ritmos también deben colocarse en diferentes componentes.

La arquitectura implica la colocación de componentes reagrupados en un gráfico dirigido a cíclico. Los nodos del gráfico son los componentes que tienen directivas en el mismo nivel. Las aristas dirigidas en el gráfico son las dependencias entre los componentes. Las dependencias conectan los componentes de software en diferentes niveles.

Estas dependencias son; códigos fuente y dependencias en tiempo de compilación. Son las sentencias *de importación* en lenguaje Java. Estas dependencias están *utilizando* instrucciones en C. Son las declaraciones *require* en Ruby. El compilador los necesita para funcionar.

Nivel

En el diseño de software, un nivel es una distancia entre la entrada y la salida. Cuanto más lejos esté una política de las entradas y las salidas del sistema, mayor será su nivel. Las directivas de nivel más bajo de un sistema son las directivas que administran la E/S.

Las directivas se clasifican en componentes en función de su comportamiento de cambio. Las políticas que cambian por las mismas razones al mismo ritmo se rigen por el Principio de Responsabilidad Única y el Principio común de cierre. Las directivas que están más alejada de las entradas y salidas se conocen como las directivas de alto nivel. Tienden a cambiar a menudo. Por otro lado, las directivas más cercanas a las entradas y salidas se conocen como directivas de bajo nivel. Estas políticas cambian con frecuencia y rápidamente con razones insignificantes.

Conclusión

Mientras estamos discutiendo las políticas, usted notará que seguimos mencionando el Principio de Responsabilidad Única y el Principio de Cierre Común. La política de software gira en torno a estos principios. En un nivel más avanzado, encontrará el Principio de Open-Closed, el Principio de Inversión de Dependencia, el Principio de Dependencias Estables e incluso el Principio de Abstracciones Estables.

Capítulo 11

Reglas de Negocio de Software

Reglas de negocio

Antes de poder segmentar el software en reglas de negocio y plugins, debe saber cuáles son las reglas de negocio. Hay diferentes tipos de reglas de negocio. Las reglas de negocio son la directriz que hace dinero para el negocio. También se pueden operar manualmente. Cuando un banco cobra intereses por un préstamo, ese procedimiento es una de sus reglas comerciales. Eventualmente hará dinero para el banco. Harán su dinero incluso si no tienen software que calcule los intereses, o sus trabajadores no calculen el interés.

Algunas reglas se denominan Reglas de negocio críticas. Estas reglas de negocio son importantes para el negocio en sí e incluso estarán en su lugar si no hay software para operarlas. Requieren lo que se conoce como Critical Business Data para funcionar. Estos son los datos que existen incluso cuando el sistema no está automatizado.

Entidad

Una entidad es simplemente un elemento de un sistema informático que consta de un pequeño conjunto de reglas importantes que funcionan en datos empresariales críticos. Una entidad tiene datos empresariales críticos o tiene acceso a los datos. La interfaz en la que opera una entidad tiene algunas funciones que implementan las reglas de negocio críticas. A continuación, estas reglas funcionan en el control de los datos empresariales.

Casos de uso

Tenga en cuenta que algunas reglas de negocio no son tan limpias como una entidad. Algunas reglas de negocio hacen o ahorran dinero para una empresa mediante la creación de un método que opera un sistema automatizado. Estas reglas serán razonables sólo para un sistema automatizado.

Tomemos, por ejemplo, una solicitud creada para una institución financiera para crear nuevos tipos de préstamos. La institución financiera puede querer que sus oficiales trabajen con algunos criterios antes de que puedan emitir un préstamo a cualquier persona. Los criterios pueden incluir información de contacto y la puntuación de crédito de la persona que desea el préstamo. Con estas especificaciones, la solicitud puede ser diseño en una forma que, sin la información de contacto y la puntuación de crédito de la persona, no procederá a validar el préstamo. Este escenario es como Super Mario. Si no completas un nivel, no irás a otro.

Estos escenarios son lo que puedo usar para describir un caso de uso. Un caso de uso simplemente describe cómo funciona un sistema automatizado. Le indica el tipo de entrada que desea, la salida que dará a un usuario, e incluso los pasos involucrados en dar esa salida.

Los casos de uso contienen las directrices de cómo y cuándo se inician las reglas de negocio críticas que están dentro de una entidad. Los casos de uso indican a una entidad cómo debe funcionar. Con los casos de uso, es difícil entender dónde funciona la aplicación. No lo sabrás; tal vez sea en la web o a través de una consola o un servicio puro. El caso de uso no se refiere a cómo el software aparece a un usuario.

Un caso de uso es un objeto. Tiene las responsabilidades que organizan y guían las reglas de negocio que son específicas de una aplicación. Un caso de uso tiene los datos de entrada, los datos de salida e incluso una dirección a una entidad a la que se conecta. Por mucho que un caso de uso controle una entidad, la entidad no conocerá el caso de uso que afecta a sus operaciones. No es magia. Es sólo una aplicación de dependencias controlada por el principio de inversión de dependencia (DIP). La interpretación del principio funciona perfectamente aquí. Componentes de alto nivel, en este caso, una entidad no conoce los componentes de bajo nivel, un caso de uso. Es al revés. El caso de uso de bajo nivel conocía la entidad de alto nivel.

Los casos de uso son específicos de una sola aplicación y están más cerca de las entradas y salidas de ese sistema. Una entidad se puede utilizar en muchos sistemas, y no están más cerca de las entradas y salidas de esos sistemas. Un caso de uso se basa en una entidad mientras que una entidad no lo hace.

Un caso de uso funciona con datos de entrada y genera datos de salida. Acepta solicitudes de estructuras de datos como entrada y genera una respuesta como estructura de datos para su salida. Estos conjuntos de estructuras de datos son independientes. No surgen de ninguna interfaz de marco estándar. Su independencia es crítica. El riesgo es que si un modelo de solicitud y respuesta es dependiente, un caso de uso que depende del modelo se enlazará a las dependencias del modelo.

Entonces una tentación se pone en. La tentación de dejar que las estructuras de datos contengan la dirección al objeto de entidad. Será bueno resistir esta tentación. Estas dos identidades tienen misiones diferentes. Si permiten la tentación de sacar lo mejor de ustedes, terminarán violando el Principio común de cierre y el principio de responsabilidad única.

Conclusión

El software solo existe debido a las reglas de negocio que contiene. Son la función principal de un sistema. Contienen la sintaxis que hace o ahorra dinero. Las reglas de negocio del software deben ser puras, 'santas, de preocupaciones menores como la interfaz de usuario o la forma de la base de datos utilizada. La sintaxis que constituye las reglas de negocio debe ser el corazón y el alma de cualquier software.

Una regla de negocio debe ser la sintaxis de software más independiente y reutilizable.

Capítulo 12

Arquitectura Screaming

Recuerdas esa sensación de Eureka cuando miras un plano, y puedes reconocer una habitación. Cuando empiezas a ver una chimenea en una habitación grande, entonces sabes que ves una sala de estar. Cuando escuches las especificaciones de algunos automóviles, conocerás el automóvil. Lo mismo se aplica a su sistema. ¿Qué describe su sistema? Cuando miras la disposición de tus estructuras, ¿qué puedes ver? Mira los archivos de origen, ¿cómo es tu aplicación? ¿Una aplicación de apuestas o un carro de la compra?

La arquitectura de software es una estructura que ayuda a los casos de uso de un sistema. La arquitectura de software describe los casos de uso de un sistema. La mayoría de las veces, la gente piensa que la arquitectura se trata únicamente de marcos. No, eso no es verdad. Las arquitecturas no se ocupan únicamente de los marcos. Los marcos no deben proporcionar arquitecturas. Los marcos son gadgets que se utilizarán en el diseño de software. Si la arquitectura se basa en marcos de trabajo, ya no se basará en casos de uso.

Una buena arquitectura es una arquitectura que puede depender de casos de uso. De esta manera, el arquitecto puede describir las estructuras que apoyan esos casos de uso. De esta manera, la arquitectura no dependerá de los marcos, las herramientas y el entorno. Imagina que este escenario es el de una casa. Un arquitecto diseña una casa de una manera que el propietario de la casa tendrá control sobre las estructuras externas de la casa. De esta manera, el propietario puede tomar decisiones por su cuenta. Una de las características de una buena arquitectura es decidir los marcos, bases de datos, servidores web y problemas ambientales que deben implementarse. Una buena arquitectura de software hace que un cambio de decisiones sea fácil. Critica los casos de uso.

El sitio web es un dispositivo de entrada y salida. Una arquitectura debe funcionar basada en la web. El hecho de que su aplicación esté siendo compatible con la web no significa que deba dar acceso completo a la web a través de su aplicación. Una de las características de un buen arquitecto es entregar una aplicación de consola o una aplicación web sin tener problemas con la arquitectura original.

¿Qué son los marcos de software?

Un marco de software es muy potente y muy importante. Es una estructura subyacente que soporta el software. Las personas que diseñan un marco tratan su trabajo como un credo. Escriben la instrucción de un marco como un adorador. Indican a los usuarios cómo operar el marco de trabajo. Si el marco de trabajo es compatible con el software, entonces , ¿qué está haciendo la arquitectura? Son diferentes. No confundas a los dos juntos. Cuando diseñe el software, asegúrese de que el marco de trabajo no domine la arquitectura.

Conclusión

Recuerde que una arquitectura permitirá a los usuarios conocer el sistema; lo que puede hacer. La arquitectura no debe preocuparse por el marco. Si creas una aplicación de apuestas, debería ser evidente para otros desarrolladores que hayas creado un software de apuestas.

Capítulo 13

Arquitectura Limpia

La arquitectura limpia es un principio de diseño de software que divide los elementos del diseño de software en niveles de anillo. Una arquitectura limpia produce un sistema que es comprobable, independiente de los marcos, independiente de la interfaz de usuario, independiente de la base de datos e independiente de las agencias externas. Hay más de una arquitectura de sistemas. Todos tienen el mismo objetivo. Su objetivo es separar los componentes del sistema en capas.

La regla de dependencia

En la arquitectura limpia, hay diferentes sectores de software. Generalmente, cuanto más se profundiza en un componente, mayor es el nivel del software. Estos sectores se dividen en mecanismos y políticas. Ambos se unen y forman un anillo. En este anillo hay varios tipos de círculos. El círculo interno no sabrá lo que está pasando en el círculo exterior. El nombre de la identidad en el círculo exterior no se mencionará en el círculo interior y viceversa.

Entidades

Una entidad oculta las reglas de negocio críticas. Una entidad de software podría ser un objeto con métodos o un conjunto de estructuras y funciones de datos. Si está intentando crear una aplicación, no debe olvidar que las entidades son los objetos de negocio básicos de la aplicación. Ocultan las reglas generales y de alto nivel. Estos componentes rara vez cambian. En ningún momento, ningún cambio en ninguna parte de la aplicación debe afectar a la capa de entidad.

Casos de uso

El software que contiene la capa de casos de uso consta de la capa de casos de uso contendrá reglas de negocio específicas de una aplicación. Oculta y provoca la implementación de todos los casos de uso del sistema. Los casos de uso crean el flujo de datos hacia y desde las entidades e incluso ordenan a esas entidades que utilicen sus reglas de negocio para lograr el objetivo de los casos de uso.

Adaptadores de interfaz

La capa de adaptadores de interfaz es un conjunto de adaptadores en el software que cambia el formato de datos. Normalmente, el formato de datos siempre es adecuado para el uso de casos y entidades. Cuando los adaptadores de interfaz entran, lo cambian a un formato que es conveniente para identidades externas como una base de datos o una web. Los presentadores, las vistas y los controladores se encuentran en la capa del adaptador de interfaz. Los diseños contienen estructuras de datos que están vinculadas desde los controladores a los casos de uso. Los datos ahora se mueven de los casos de uso a los presentadores y vistas.

Conversión de datos de un formulario adecuado para las entidades y casos de uso a la que sea adecuada para el marco.

Patrón de objetos humildes

Este es un patrón de diseño que fue diseñado para ayudar a los probadores de unidades a dividir los comportamientos que son difíciles de probar de los que son fáciles de probar. Es una idea simple. Estamos tratando con dos comportamientos: uno que es fácil de probar y el otro que no lo es. Eso significa que tenemos dos partes. Una parte será la parte humilde porque contendrá todos los comportamientos que son difíciles de probar. Estos comportamientos en este modelo se desintegrarán en sus detalles minúsculos. La otra parte consistirá en todos los comportamientos que son fáciles de probar.

Las interfaces gráficas de usuario son difíciles de probar unitariamente. La razón es que es difícil escribir pruebas que puedan ver la pantalla y asegurarse de que los elementos apropiados están en su lugar. En la mayoría de los casos, el comportamiento de las interfaces gráficas de usuario es fácil de probar. Con la ayuda del patrón de objetos humildes, es fácil separar estas dos formas de comportamiento en dos tipos: el presentador y las vistas.

Los presentadores y las opiniones

Los presentadores son una forma de un patrón de objetos humildes. Ayudan a identificar y proteger las líneas de límite arquitectónicos. ¿Debes estar preguntándote que si tenemos un presentador, entonces deberíamos tener un espectador?

No, no tenemos espectadores, pero tenemos lo que se llama vista. Una visión es un objeto humilde que es difícil de probar. El código es simple y mueve los datos a la interfaz gráfica de usuario, pero no procesará los datos.

Los presentadores son fáciles de probar. Acepta datos de una aplicación y los cambia a la configuración adecuada para la presentación. Cuando lo hace, la vista puede mover los datos a la pantalla.

Si una aplicación desea que un calendario funcione en un campo, le dará al presentador un objeto de calendario. Después de eso, el presentador convertirá el calendario en una cadena adecuada y lo colocará dentro de una estructura de datos simple conocida como el modelo de vista. Es en este modelo de vista que una vista lo verá. Este es el proceso simple en el que los presentadores y las vistas trabajan.

Cada botón que se puede ver en una pantalla tiene un nombre. Este nombre es una cadena que el presentador colocó en un modelo de vista. Si los botones no funcionaban, se llamaría al presentador para establecer una marca booleana adecuada dentro del modelo de vista. Un elemento de menú es una cadena introducida por el presentador en el modelo de vista. El presentador introduce los nombres de cada casilla de verificación, botón y campo de texto. Los coloca en las cadenas correctas y /o booleano disponible en el modelo de vista. El presentador también introduce las tablas de figuras que deben mostrarse en la pantalla en una tabla de cadenas con el formato adecuada dentro del modelo de vista.

La salida de un valor booleano o una cadena que está en el modo de vista se encuentra en la pantalla de la aplicación. La vista no tiene otro trabajo que cargar datos desde el modo de vista en la pantalla. Esto demuestra que la vista es humilde.

Capítulo 14

Capas y límites de software

La mayoría de la gente piensa que la composición de un sistema se divide en tres componentes: la interfaz de usuario, la base de datos y las reglas de negocio. Esto es correcto, pero no en todos los casos. En un sistema simple, esto es correcto, pero en un sistema más grande, los componentes son más grandes que esto. Por ejemplo, considere un juego de ordenador básico. Con ese tipo de juego, los tres componentes son muy fáciles de descubrir. La interfaz de usuario supervisa la transferencia de mensajes de los usuarios (jugadores) a las reglas del juego. Estas reglas del juego almacenan el estado del juego en una estructura de datos tenaz.

¿Y eso no es todo? Un buen ejemplo para explicar más mi punto es un juego de 1972 llamado Hunt the Wumpus. Este juego funciona con textos. Textos como; IR WEST y SHOOT EAST. El jugador entra en un comando, y el ordenador reacciona con el jugador que está viendo u oliendo u oyendo y sus experiencias. El jugador está en una aventura para capturar un Wumpus en cavernas y debe evitar trampas, pozos y otros pasajes peligrosos. Puedes leer más sobre el juego en línea.

Digamos que el juego es excelente, así que decidimos construir una versión diferente de ese juego. Necesitamos desacoplar las reglas del juego para que nuestra versión pueda estar en diferentes idiomas para diferentes países. Las reglas del juego deben comunicarse con el componente User Interface con una API independiente del idioma. A continuación, la interfaz de usuario traduce la API al lenguaje humano adecuado. Si administra correctamente las dependencias de código, cualquier número de componentes de la interfaz de usuario puede reutilizar las mismas reglas de juego. Las reglas de los juegos no saben, ni les importa el lenguaje humano que se está utilizando.

Ahora, hablemos del almacenamiento del juego. El juego se puede almacenar en una RAM o una nube o incluso en una unidad flash. En cualquier caso, elegimos guardar el juego; las reglas del juego no deben conocer los detalles. Solo necesitamos crear otra API en la que las reglas del juego se usarán para comunicarse con los componentes de almacenamiento.

En este escenario, podemos introducir una arquitectura limpia. Necesitamos una arquitectura limpia para controlar todos los casos de uso, entidades, estructuras de datos y los límites. Por ejemplo, el idioma no es sólo el eje de cambio de la interfaz de usuario. Podemos alterar el proceso en el que se comunica el texto. Puede utilizar una ventana de shell normal, o una interfaz de comandos, o mensajes de texto o una aplicación de chat. Hay muchos que podemos hacer eso.

Tenga en cuenta que hay un límite potencial en el eje de cambio. Solo debe crear una API que se mueva al sistema y aísle el lenguaje del proceso de comunicación. Un arquitecto de software debe ser capaz de ver el futuro. Usted debe ser capaz de predecir con precisión. Debe calcular cada coste y proceso y determinar dónde se encuentran los límites arquitectónicos. Podrá determinar qué arquitectura debe aplicar completamente, o la que necesita aplicar parcialmente y la que ni siquiera debe acercarse. Estas cosas parecen fáciles, pero no son fáciles de pasar. No puede determinar cuándo tendrá que implementar el límite. No puedes saberlo; tal vez sea al principio del proyecto o durante el desarrollo del proyecto o al final. Sólo tienes que observar. Durante la observación, se dará cuenta a medida que el software está evolucionando. De esta manera, puede saber dónde deben implementarse los límites.

Después de notar dónde están las áreas que necesitan límites, debe conocer el costo: el costo de implementar esos límites frente al costo de los límites que está ignorando. El objetivo de un arquitecto de software es implementar los límites en el momento adecuado. El momento adecuado también significa que usted necesita preocuparse por el costo.

Capítulo 15

El límite y los servicios de la prueba

He mencionado las pruebas en algunos capítulos. ¿Cuáles son las pruebas? Las pruebas son parte del sistema de software. Las pruebas participan en la arquitectura, al igual que otras partes del sistema. Las pruebas son únicas.

¿Las pruebas forman parte de los componentes del sistema?

Cada vez que la gente me explica las pruebas, siempre me dan una explicación vaga. Las preguntas que la gente hace son

¿Son parte del sistema? ¿O están separados del sistema? ¿Cuáles son los tipos de pruebas en el sistema? Pruebas unitarias y pruebas de integración, ¿son iguales? ¿Hay otras pruebas? Todas estas preguntas serán respondidas en este capítulo.

Como arquitecto, debe saber que todas las pruebas son iguales. Todas las pruebas son iguales independientemente del tipo de prueba, ya sea una prueba de desarrollo basada en pruebas o una prueba de aceptación o una prueba funcional o una prueba de desarrollo basada en el comportamiento. Todas las pruebas funcionan con la regla de dependencia. Las pruebas son muy informativas y difíciles. Siempre dependen del código que se está probando. Las pruebas se pueden implementar de forma independiente. Las pruebas no se implementan en el sistema de producción, sino en el sistema de prueba. Esta propiedad de ellos es poderosa. Incluso cuando las pruebas están en un sistema donde la implementación independiente no es importante, créame, todavía se implementarán.

El componente más aislado del sistema es la prueba. No son importantes para el funcionamiento del sistema. Francamente, ningún usuario confía en ellos para su funcionamiento. El objetivo principal y único de una prueba es apoyar el desarrollo de software y no su funcionamiento. Las pruebas son tan importantes como cualquier otro componente. La mayoría de las veces, representan la vía que siguen todos los demás componentes.

Estructurado para la capacidad de la estabilidad

La mayoría de los desarrolladores piensan que las pruebas quedarán fuera del diseño de un sistema. A menudo tienen este pensamiento debido al aislamiento extremo y la implementación independiente de pruebas. Esta no es una buena escuela de pensamiento. Las pruebas frágiles son pruebas que no están completamente incorporadas en el diseño del sistema. A pesar de ser frágiles, mejoran la rigidez del sistema y hacen que sea difícil cambiar. El mecanismo detrás de este fenómeno es el acoplamiento.

Hemos hablado de desacoplamiento en algunos capítulos de este libro. Pero ahora, es el acoplamiento lo que necesitamos entender. Las pruebas que se acoplan firmemente al sistema cambiarán con el sistema. Al igual que un parásito se beneficiará de su huésped y evolucionará con él. Cualquier pequeño cambio en los componentes del sistema causará oleadas de cambios en las pruebas adjuntas. Esto da como resultado lo que se llama el problema de las pruebas frágiles. Este fenómeno se puede explicar mejor como una situación en la que los cambios en los componentes del sistema pueden hacer que la mayoría de las pruebas asociadas al sistema se rompan.

Por ejemplo, un conjunto de pruebas que utilizan la interfaz gráfica de usuario para validar las reglas de negocio. Estas pruebas pueden iniciar su operación en la pantalla de inicio de sesión y, a continuación, pasar a la estructura de página hasta que se confirman algunas reglas de negocio si cambia la página de inicio de sesión o la estructura de la página, se interrumpirán muchas pruebas.

Una cosa acerca de las pruebas frágiles es que tienen una manera de hacer que un sistema rígido. En ese momento un desarrollador sabe que un pequeño cambio en el sistema puede causar terremotos, lo que resultará en errores de prueba; intentarán todos los medios para no cambiar el sistema. Si un desarrollador tiene miedo de no cambiar las cosas, puede terminar sin mejorar el sistema. La mejor solución en este punto es diseñar el sistema para la capacidad de prueba. La primera ley del software, ya sea para la capacidad de prueba o cualquier otra cosa, es la misma. La ley es que no debes depender de cosas volátiles. La interfaz gráfica de usuario es volátil. Sorprendente, ¿verdad? El conjunto de pruebas que operan el sistema en la interfaz gráfica de usuario debe ser frágil. Por lo tanto, siempre que desee diseñar un sistema y sus pruebas, asegúrese de que las reglas de negocio se pueden probar sin usar la GUI.

¿Cómo diseñará un sistema de este tipo? Es simple. Usted tiene que importar su conocimiento de la API aquí. Debe crear una API que las pruebas puedan usar para validar todas las reglas de negocio. La API tendrá la capacidad de permitir que las pruebas eviten restricciones de seguridad, omitan los recursos costosos y obliguen al sistema a condiciones particulares comprobables. Dicha API será un supergrupo para el conjunto de interactores y adaptadores de interfaz que usará el usuario. La razón por la que necesita probar una API es desacoplar las pruebas de la aplicación. El desacoplamiento no es un desacoplamiento ordinario. Contiene más que el desprendimiento de la interfaz de usuario. El objetivo es simple y es desacoplar la estructura de prueba de la estructura de la aplicación.

Acoplamiento estructural

Existen numerosos tipos de acoplamiento de prueba. Pero el más fuerte de todos es el acoplamiento estructural. Imagine un conjunto de pruebas que tenga una clase de prueba para cada clase de producción. También tiene un conjunto de métodos de prueba para cada método de producción. Cuando existe un conjunto de pruebas de este tipo, se dice que el conjunto está profundamente acoplado a la estructura del sistema. Así que tenemos el nombre, acoplamiento estructural.

Cuando se produce un cambio en cualquier método o clase de producción, también cambiará un gran número de pruebas. Esto más adelante producirá pruebas que son frágiles y el código de producción para ser rígido. Esto no es magia. Ese es el efecto del acoplamiento estructural.

¿Cuál es el rol de la API? Su función es sólo para ocultar la estructura del sistema de las pruebas. Esto solicita que el código se reestructure y evolucione de una manera que no tenga ningún efecto en las pruebas. También hace que el código se reescriba y evolucione de maneras que no tendrán ningún efecto en el código de producción.

Esta separación es importante porque a medida que el sistema existe, todas estas pruebas se vuelven más rígidas y específicas. Si lo miras cuidadosamente, el código de producción tiende a ser más abstracto y general. Cuando un fuerte acoplamiento estructural está en su lugar, impide esta evolución. También hace que el código de producción sea más específico y rígido.

Se enfrentará a una escena peligrosa si implementa la API de prueba en el sistema de producción. Esta es una preocupación y debe ser tratada. La solución es que la API de prueba y sus partes peligrosas de implementación deben mantenerse en un componente de implementación independiente diferente.

Por último, tenga en cuenta que las pruebas están dentro del sistema. Son partes del sistema, y para que funcionen de manera eficiente, deben estar bien diseñadas. Sus obras son sólo estabilidad y regresión. Las pruebas que están diseñadas para estar fuera del sistema son frágiles y difíciles de mantener. Tal una prueba termina en el proceso de mantenimiento de ser inútil debido al hecho de que son difíciles de mantener.

Servicios

Recientemente, contamos con arquitecturas orientadas a servicios y arquitecturas de microservicios. El diseño de un sistema se basa en límites que separan la directiva de alto nivel de la directiva de bajo nivel. Esto obedece a la regla de dependencia. Los servicios que segmentan los comportamientos de las aplicaciones no son costosos que las llamadas a funciones. Los servicios son parcialmente importantes desde el punto de vista arquitectónico. Los servicios no describen una arquitectura. Para entender este punto, mire la organización de las funciones. El diseño de un sistema monolítico o basado en componentes se describe mediante algunas llamadas de función que cruzan los límites y obedecen a la regla de dependencia.

Los servicios son solo llamadas a funciones a través de los límites. Algunos servicios son importantes en la arquitectura de software, mientras que, por desgracia, algunos no lo son.

Se pregunta cuáles son los beneficios de los servicios en arquitectura. El problema es que la mayoría de sus beneficios son parcialmente válidos.

La teoría de desacoplamiento: los servicios se pueden desacoplar a nivel de variables individuales. El problema es que los recursos compartidos de un procesador pueden volver a acoplarlos. Una vez que esto sucede, los servicios permanecen conectados a los datos.

La teoría independiente del desarrollo y la implementación: los servicios se construyen de manera que puedan ser propiedad y operados por un equipo dedicado. Esto los haría escalables. El problema es que hemos visto grandes sistemas empresariales que se construyeron sobre un sistema monolítico. Esto significa que los servicios no son la única manera en que alguien puede crear sistemas escalables.

Capítulo 16

La base de datos de software

En general, una base de datos es una colección de información recopilada en una estructura organizada almacenada en un formato al que puede tener acceso el equipo. Otra definición de una base de datos es que es un conjunto de tablas. Todas estas definiciones tienen layman, lo siento por eso. Como arquitecto, una base de datos no es una entidad. Una base de datos es un detalle que no cumple el requisito de un elemento arquitectónico. No te sorprendas tanto. No estoy hablando de la estructura de datos. Cualquier estructura que asigne a los datos de la aplicación es muy importante para el diseño del sistema. La base de datos no es la estructura de datos. Una base de datos es sólo software. La base de datos es un programa que proporciona acceso a los datos. Este programa es un detalle de bajo nivel. Es más bien un mecanismo. Un arquitecto que sepa lo que está haciendo nunca permitirá que un detalle de bajo nivel interrumpa la arquitectura de su sistema.

Base de datos relacional

Los principios de una base de datos relacional fueron definidos por Edgar F. Codd en 1970. Este principio funcionó con el modelo relacional. Un modelo relacional es una forma de almacenamiento de datos que Thai organiza en tablas, es decir, relaciones, columnas y filas. Estos datos se almacenan con una clave específica que identifica cada fila. Es una buena tecnología de almacenamiento y acceso a datos. Funciona excelentemente, pero sigue siendo una tecnología que implica que es sólo un detalle. Como las tablas relacionales son buenas para algunas formas de acceso a datos. Desde el punto de vista de la arquitectura, nada es increíble con la forma en que organiza los datos en fila dentro de la tabla. Siempre que utilice casos para cualquier aplicación, no deben preocuparse por sí mismos tales asuntos.

Uno de los graves errores en los que algunos arquitectos cometen es permitir que las filas y tablas de la base de datos se comporten como objetos. Esto está mal. Si esto sucede, los casos de uso, las reglas de negocio y la mayoría de las veces, la interfaz de usuario se asocia a la estructura relacional de los datos.

Dejemos bases de datos, filas y tablas y pasemos a examinar *el disco.*

Vamos a ir por el carril histórico. Aquí estamos en la era del disco magnético. Entonces, lamentablemente, los programadores no conocían ningún otro dispositivo de almacenamiento. Sólo conocían el disco magnético. La transición y la evolución se produjeron en el concepto de almacenamiento en disco. Esto ha convertido enormes dispositivos de almacenamiento en dispositivos pequeños que pueden ahorrar hasta 1 TB de tamaño de archivos. Qué mejora. Antes de la invención de las unidades flash y otros, los programadores que experimentaron discos se quejaban de la velocidad de un disco para ser lento.

En un disco, los datos se almacenan en las pistas circulares. Estas pistas circulares se pueden ver en un disco, y se dividen en componentes que pueden almacenar algunos datos. Para acceder a los datos de un disco, debe cambiar la cabeza a la pista circular adecuada. A continuación, espere a que el disco gire a la pista adecuada. A continuación, el jefe lee esa pista en la RAM y luego indexa en el búfer de RAM para obtener la cantidad de datos que desea. Este proceso es estresante y lleva tiempo.

Para reducir el estrés y el retraso de tiempo creados por todos estos discos, puede usar la optimización de esquemas de consulta. Esta optimización puede ser compatible con índices y cachés. Necesitará algunas formas de representar los datos para que los índices, las consultas y las cachés sepan con qué están trabajando. Debe dominar el sistema de acceso y gestión de datos. Hay dos tipos de sistema de gestión, y son.

Sistemas de archivos

Sistema de gestión de bases de datos relacionales (RDBMS)

Los sistemas de archivos son el tipo basado en documentos. Proporcionan una manera natural y fácil de almacenar documentos. Funcionan de manera eficiente cada vez que guarda y recupera documentos por sus nombres. No obtendrá ningún resultado si decide buscar con su contenido. Es fácil para el sistema localizar un archivo llamado *wallstreet.g* en lugar de encontrar cada archivo .g que contiene *chr* en él. Eso será engorroso para el sistema e incluso para ti.

Ratinar Databa se Management Systems es opuesto al de los sistemas de archivos. Son el tipo basado en contenido. Proporcionan una manera natural y fácil de guardar documentos basados en su contenido. Funcionan de manera eficiente cada vez que guarda y recupera documentos por su contenido. Son pobres cuando intenta guardar y recuperar documentos opacos.

Estos dos sistemas organizan los datos en un disco para ser guardados y recuperados eficientemente. Cada sistema tiene una forma especial de indexar y organizar datos. Cada sistema introduce los datos necesarios en la memoria de acceso aleatorio. Los datos se pueden modificar fácilmente en la RAM.

Los discos eran una vez populares a la vez; casi todas las casas tenían un disco. Ya no existen. Los discos han sido reemplazados por memorias de acceso aleatorio. Esta pregunta debe estar en su mente que cuando todos estos discos se han ido, ¿cómo va a organizar sus datos en la RAM? ¿Lo organizará mediante tablas y accederá a él con lenguaje de consulta estructurado (SQL)? ¿Cómo lo organizarás? ¿Organizará los datos en archivos y accederá a ellos a través de un directorio? Tantas preguntas.

No puedes hacerlo a través de esas maneras. Puede organizar los datos en árboles, pilas de tablas hash o cualquier forma de estructura de datos. De esta manera, podrá acceder a los datos mediante punteros o referencias. Es un escenario similar porque de una manera u otra, una vez has hecho esto. Independientemente de dónde guarde los datos, ya sea en un RDBMS o un sistema de archivos, los introduzca en la RAM y, a continuación, los reconozca. Introduzca los datos de una manera que sea conveniente para usted. Se puede almacenar en una lista, o en un árbol, o en una cola, o en una pila o en cualquier estructura de datos que desee.

Ves cómo todo después termina como. Esto admite mi afirmación anterior de que una base de datos es un detalle. Es sólo un proceso que mueve los datos de un lado a otro entre la pista del disco y la RAM. Una base de datos es como una ubicación donde guardamos datos para opciones a largo plazo. Como arquitecto de software, no debe preocuparse por el formulario en el que se almacenan los datos. No debería preocuparse por la pista del disco. En resumen, olvide el disco. Si no le preocupa el disco, ¿qué pasa con su rendimiento? Ciertamente, usted debe saber que el rendimiento es primordial. Es debido al rendimiento que hemos movido de los discos a la RAM. El rendimiento en el almacenamiento es una preocupación que debe encapsularse y separarse de las reglas de negocio. Habrá una necesidad de almacenar y recuperar los datos rápidamente, pero esa no es su preocupación. La razón es que esto no tiene ningún efecto en la arquitectura general del sistema.

Conclusión

La base de datos es un detalle. La forma en que los datos se organizan, estructuran y modelan es importante en la arquitectura. El proceso en el que se guardan y se accede a los datos en un disco no es importante. Los datos que está almacenando también son importantes.

Capítulo 17

La Web y los Marcos

La web es generalmente todas las páginas web que se matan enlazadas entre sí y a otras formas de documento y medios de comunicación. Otra definición de la web son los recursos de Internet a los que puede acceder el Protocolo de transferencia de hipertexto (HTTP). Al igual que el disco ha evolucionado, al igual que la web. La web es sólo el reciente desarrollo de la serie de mejoras que nuestro mundo ha experimentado. Estas mejoras han cambiado las cosas. Estas ondas de mejora se mueven de un lado a otro entre poner toda la potencia del ordenador en los servidores centrales y poner todas las potencias en los terminales. Estas ondas se han notado desde el aumento en la popularidad de la web. Al principio, pensaba que la potencia del equipo estaría en las granjas de servidores y, por lo tanto, los navegadores serían inútiles. Entonces, los desarrolladores de software comenzaron a poner applet, un módulo de programa simple que funciona bajo el control de una gran aplicación, especialmente un navegador web. No, el mundo no disfrutó de eso. A continuación, los desarrolladores movieron el contenido dinámico a los servidores. Eso iba bien hasta que la gente empezó a quejarse. Luego, entró la invención de la Web 2.0. Luego, un montón de procesamiento se trasladó a un navegador con Ajax y JS. Eso hizo la creación de enormes aplicaciones que fueron escritas para ejecutarse en navegadores.

Será un error pensar que estas oleadas de mejoras comenzaron con la web. Antes de que la web entrara en su lugar, la arquitectura cliente-servidor era el mundo. Antes de la arquitectura cliente-servidor, los miniordenadores centrales con matrices de terminales lentos estaban en uso. Antes de eso, algo llegó, y así comenzó la evolución. Cuando nos fijamos críticamente en la historia de la información y la tecnología, la web no alteró nada. La web estaba ocupada uno de los numerosos resultados que estas mejoras produjeron. Te preguntas que como arquitecto de software, ¿qué tiene que ver esto con nosotros? Tiene mucho que hacer. Estos movimientos son sólo impactos a corto plazo. Un arquitecto debe pensar en una solución a largo plazo.

El resumen de mi historia es que una interfaz gráfica de usuario es un detalle. E incluso la web es una interfaz gráfica de usuario. Si la GUI es un detalle, eso significa que la web también es un detalle. ¡Lógica simple! Como arquitecto, debe saber que todos estos detalles necesitan límites para separar la lógica de negocios principal. La web acepta datos en forma de sintaxis y mostrar información. Es seguro para mí decir que la web es un dispositivo de entrada y salida. En los años 60, la importancia de escribir aplicaciones es hacerlas independientes del dispositivo. La motivación para que sean Independence todavía existe, y se aplica a la web también. Existe la teoría de que una interfaz gráfica de usuario es rara y rica. Para estas cualidades, es extraño habilitar la arquitectura independiente del dispositivo. Si lo miras, es verdad. La relación entre la interfaz gráfica de usuario y la aplicación es buena de maneras que son únicas para el tipo de interfaz gráfica de usuario que está utilizando. La relación entre un explorador y una aplicación web es distinta de la relación entre una interfaz gráfica de usuario de escritorio y la aplicación que la está utilizando. Si intenta imaginar la relación, y la relación de cómo los dispositivos se derivaron de UNIX, un sistema operativo, parece imposible.

Puede quitar el límite entre la interfaz de usuario y la aplicación. La lógica de negocios se atribuye a algún conjunto de casos de uso, cada uno de los cuales realiza su función al usuario. Los casos de uso se pueden describir en función de tres propiedades:

- Los datos de entrada
- El proceso que realizaron y
- Los datos de salida

En algún momento, al mirar la relación entre una interfaz de usuario y la aplicación, descubrirá que los datos de entrada se pueden decir que están completos. Por lo tanto, permitiendo la ejecución del caso de uso. Después de la ejecución, los datos resultantes pueden volver a la relación entre la interfaz de usuario y la aplicación. Los datos de entrada completos y los datos de salida resultantes se pueden mover a las estructuras de datos y utilizarse como valores de entrada y valores de salida para un modelo que permite el caso de uso. Con este plan, podemos considerar que cada caso de uso está operando el dispositivo de entrada y salida de la interfaz de usuario de una manera independiente del dispositivo. Este tipo de abstracción no es simple, y puede tomar varias iteraciones para obtenerlo. Pero es posible. El mundo está lleno de profesionales del marketing, por lo que no será difícil hacer un caso muy necesario.

Marcos

Como se dijo anteriormente en el libro, los marcos son estructuras de apoyo. Son muy populares y una de las cosas buenas que han sucedido a lo largo de los años. Hay marcos por ahí que se pueden utilizar que son libres y eficaces. Tenga en cuenta que, los marcos de trabajo no son arquitecturas. La mayoría de los autores de marcos ofrecen su trabajo libre. Lo donan a la comunidad. Independientemente de sus objetivos filantrópicos, a estos autores no les gustas. ¿Cómo quieres que les gustes cuando no te conocen? Ellos incluso saben los problemas que se enfrentan. Un autor de un marco conoce su problema, los problemas de sus colegas y sus familiares. Por lo tanto, cuando vea un marco gratuito, solo sepa que está utilizando una solución al problema de alguien, no el suyo. La mayoría de las veces, es probable que los marcos que elija sean similares a los que necesita.

Usted y el autor de un marco tiene una relación asimétrica. Para que un marco de trabajo sea muy útil, debe comprometerse con él, mientras que el autor del marco no hace ningún compromiso con usted. Si no obtiene lo que estoy tratando de explicar, examine este ejemplo. Cuando desee usar un marco de trabajo, lea la documentación, que constará de las instrucciones del marco de trabajo. La instrucción contendrá cómo integrará su software con el marco. Entonces comienza el proceso; empiezas a ajustar la arquitectura de tu software en torno a ese framework. Esto implica detectar las clases base del marco de trabajo y, a continuación, importar las instalaciones del marco de trabajo en los objetos de negocio. El autor, con su documentación, desea que se va a enlazar la aplicación al marco de trabajo. Una vez acoplado, es muy difícil separarse de él. Un autor se siente superior cuando muchos usuarios utilizan sus clases base.

Es más como si el autor quisiera un matrimonio entre usted y su marco. Esto hará que se comprometa con ese marco. Este matrimonio no significa que el autor te dedique su marco. El matrimonio es una reacción unidireccional. Usted es el que tomará riesgos y cargará con las cargas mientras el autor del marco disfruta y ni siquiera sabe acerca de sus luchas.

Los riesgos se mencionaron anteriormente. Es posible que se pregunte cuáles son los riesgos involucrados en el uso de un marco ya hecho. Estos son algunos riesgos que usted puede necesitar saber.

El primero en la lista es la arquitectura del marco. La arquitectura del marco de trabajo puede no estar totalmente limpia. Cuando esto sucede, es más probable que los marcos de trabajo infringen la regla de dependencia. Quieren que herede su código en sus objetos de negocio, sus entidades. ¿No sospechas que un espía está en una misión aquí? Quieren su marco unido a ese círculo más íntimo. Una vez que el espía, en este caso, el marco se infiltra en el círculo más íntimo, no hay salida de nuevo. Ya ha dicho el voto, ¿procederemos a la unión?

El marco de trabajo es realmente útil con algunas características tempranas que introducirá en la aplicación. A medida que se desarrolla la aplicación, puede superar las capacidades del marco de trabajo. Ya llevas puesto el anillo, así que prepárate para la lucha entre los marcos.

Un marco actualizado y mejor vendrá, y querrá cambiar a él.

Otro riesgo es que el marco de trabajo puede cambiar en una dirección que puede que no necesite. Incluso puede quedarse atascado al intentar actualizar la versión del marco de trabajo. Incluso las características que ha habilitado en las versiones anteriores pueden desaparecer con la instalación de las versiones más recientes.

¡Qué demonios! Estos son más para que usted pueda controlar sólo porque usted utilice un marco de trabajo. ¿Cuál es la salida? No te cases con el marco.

¿Cómo usarás ahora el marco si no te casas con él? Es bastante simple. Puede usar el marco de trabajo, pero no lo adjunte al núcleo de la aplicación. Que se quede bastante lejos de ello. Usted debe tratar con él como si fuera sólo un detalle que no es importante en el núcleo del sistema. A veces, el marco de trabajo querrá deducir los objetos de negocio de sus clases base. No lo permitas en tu reloj. En su lugar, derive praxias y guarde esos proxis en componentes que sirven como complementos para sus reglas de negocio.

Repito, no deje que el marco de trabajo entre en su código principal. Es peligroso. La mejor solución es integrar el marco de trabajo en componentes que sirven como complemento a su código principal, respetando la regla de dependencia.

Por ejemplo, puede usar cualquier buen marco de inserción de dependencias como Spring. Es posible que lo utilice para conectar automáticamente sus dependencias. Eso está muy bien, pero no debe espolvorear anotaciones en todos sus objetos de negocio. No dejes que tus objetos de negocio sepan sobre Spring. Puede utilizar Spring para insertar dependencias en el componente *principal.* Está bien que *el principal* sepa acerca de Spring porque *el principal* es un componente sucio y de bajo nivel en la arquitectura.

Recuerda, estamos en una boda. Hay algunos marcos que no tienes más remedio que casarte con ellos. Si utiliza C++, hay un marco denominado STL; tienes que comprometerte con eso. Si utiliza Java, su propio socio hecho de cielo es una biblioteca estándar. Normalmente, debe usar esos marcos, pero todavía debe basarse en su elección. Usted debe entender cuando se casa con un marco, su aplicación se quedará atascado por el resto de su vida. Para bien o para mal, para más ricos o más pobres, utilizará ese marco. Lo que se han unido, ningún hombre puede poner en su forma. Es por eso que debe tener cuidado al comprometerse con un marco de trabajo.

Conclusión

Cuando esté pensando en el marco de trabajo a utilizar, recuerde que no debe casarse con él. Asegúrate de evitar todas las formas de casarte con él. Una vez que te cases, eso es todo. Por lo tanto, mantenga el marco de trabajo detrás de un límite arquitectónico durante el tiempo que pueda intentarlo.

Capítulo 18

Paquete

En este capítulo, no trataremos con una arquitectura limpia. Estaremos tratando con el número de enfoques para el diseño de software y la organización de código.

Los paquetes son procedimientos escritos o reglas que están asociados con el funcionamiento de un sistema informático. Hay diferentes formas de paquetes.

- Paquete por capa
- Paquete por característica
- Paquete por componente

Paquete por capa

Esto se considera como el primer y más fácil enfoque de diseño. Esta es simplemente la arquitectura tradicional en capas horizontales donde separamos los códigos en función de lo que hacen desde un ángulo técnico. En esta arquitectura en capas típica, tiene una capa para el código web, otra capa para la lógica empresarial y una capa diferente para la persistencia. Simplemente, está cortando las capas horizontalmente. El uso puede hacer que esta separación clasifique tipos similares de cosas. En su lugar, en una arquitectura estrictamente estratificada, las capas solo se basarán en la capa inferior adyacente a las capas. La mayoría de las veces en Java, las capas se implementan como paquetes. A continuación se muestran los siguientes tipos de capas y sus funciones:

OrdersService: esta es una interfaz que define la lógica de negocios relacionada con los pedidos.

OrderServiceImpl: esto es básicamente la implementación del servicio de pedidos.

OrdersRepository: esta es una interfaz que define cómo obtenemos acceso a la información de orden persistente.

JdbcOrdersRepository: se trata de una implementación de la interfaz del repositorio.

OrdersController : se trata de un controlador web que controla las solicitudes de la web. Funciona igual que un controlador Spring MVC.

En un artículo escrito por Martin Fowler llamado Presentation Domain Data Layering, dice que usar una arquitectura en capas es una buena manera de comenzar. No fue el único que apoya este punto de vista. Muchos de los libros publicados, tutoriales, cursos en línea y códigos que encontrará le guiarán a la ruta de creación de una arquitectura en capas. Es una manera fácil de hacer que algo funcione sin mucha complejidad.

Por ejemplo, queremos crear una aplicación basada en web mediante el patrón Web-MVC. Vamos a categorizar el código en grupos en función de su tipo. Habrá un paquete de alto nivel, otro para servicios y otro para el acceso a datos. Las capas son un proceso de organización fundamental para los códigos. Todo estará en el mismo lugar. Las pruebas de cualquier capa se pueden realizar mejor de forma aislada utilizando las técnicas de simulación apropiadas. El principal problema es que una vez que el software comience a crecer en escala y complejidad, notará rápidamente que tener cuatro buckets de código no es suficiente y tendrá que emplear más módulos.

Otro problema es que una arquitectura en capas no anuncia nada sobre el dominio empresarial. Si utiliza el código de la arquitectura de dos capas, de dos dominios empresariales muy distintos, observará que tienen un aspecto similar. La web, los servicios y los repositorios son similares.

Paquete por característica

Otra forma de organizar el código es usar el paquete por estilo de característica. A diferencia de paquete por capa, paquete por entidad se realiza mediante el corte vertical. Esto también se basa en características relacionadas, conceptos de dominio y raíces agregadas. En las implementaciones típicas, todos los tipos se colocan en un paquete Java. A continuación, se nombra este paquete para reflejar el propósito que se está agrupando. Con este método, las interfaces y clases se colocarán en un único paquete Java en lugar de colocarse dentro de tres paquetes. Es una refactorización muy simple de este estilo de paquete. Aquí, la organización del código anuncia el dominio empresarial. Ahora puede ver que la base del código está relacionada con los pedidos en lugar de la web, los servicios y los repositorios. Otra ventaja de este paquete es que es fácil encontrar todo el código que necesita para modificar en cualquier caso donde los pedidos de vista utilizan cambios de caso. Todo está en un solo paquete Java.

La mayoría de los equipos de desarrollo de software tienen problemas con el paquete por capa y cambian a paquete por característica.

Hay muchas diferencias entre paquete por entidad y paquete por capa

El paquete por entidad se separa por corte vertical, mientras que el paquete por capa se separa por el corte horizontal.

Paquete por característica tiene paquetes con buena cohesión, gran modularidad y bajo acoplamiento que paquete por capa.

Es más sencillo navegar en el paquete por entidad que la del paquete por capa. Esto hace que sea más fácil para otro programador realizar mantenimiento sin estrés.

En paquete por capa, hay más prioridad en la implementación que una abstracción de alto nivel.

Empaquetar por característica permite que algunas clases minimicen su ámbito de paquete público a paquete privado. Esto ayuda a reducir los efectos de ondulación. Por otro lado, paquete por capa descuida la privatización de los paquetes y etiqueta todos los elementos como *públicos.* Esto no reducirá los efectos de ondulación.

En paquete por característica, a medida que el sistema sigue aumentando, también lo están aumentando las clases. Pero en el paquete por capa, no es así. Si un sistema aumenta, la misma cantidad de paquete se encargará de ello.

Puede usar puertos y adaptadores, la arquitectura hexagonal, límites, entidades, controladores, etc. para crear arquitecturas donde el código centrado en el negocio o el dominio es independiente y distinto de los detalles de implementación técnica, como marcos y detalles. En resumen, a menudo se ven estas bases de código que se componen de un dominio y una infraestructura. La región interna es el sitio de todos los conceptos de dominio. La región externa es el sitio donde se producen todas las interacciones con las duestares, las bases de datos y las integraciones de terceros. Hay una regla aquí, y establece que el exterior depende del interior. El interior no depende del router; no lo mezcles.

Por ejemplo, un paquete *com.myfactory.myapp.domain* está en el interior y los otros paquetes están en el exterior. Las dependencias fluirán hacia el interior. El lector siempre dado cuenta de que el *OrderRepository* de configuraciones anteriores se ha cambiado para ser Orders simplemente. El suyo proviene del entorno del diseño basado en dominios. Cuando el consejo es el nombre de cada componente en el interior debe enumerarse en términos del lenguaje de dominio ubicuo. Lo que quiero que entiendan es que cada vez que se mencionan órdenes, estamos hablando del dominio.

Paquete por componente

Aplico los principios SOLID, Reutilizar principio de equivalencia, Principio de cierre común y CRP la mayoría de las veces. Pero con la organización de códigos, empleo diferentes principios. Este principio se denomina paquete por componente. Los sistemas de software varían mucho. Un gran número de sistemas de software están basados en la web. Las tecnologías difieren, pero tienen un tema común. La arquitectura de estos sistemas se basaba en la arquitectura tradicional en capas. El objetivo de una arquitectura en capas es segmentar el código que tiene el mismo tipo de función. Con este propósito, las propiedades web se separan de la lógica empresarial, que a su vez se separará del acceso a los datos. En una estructura de clases UML, a juzgar por la vista de implementación, la capa de un sistema corresponde a un paquete Java. Ahora, mirando desde una perspectiva de accesibilidad de código, una clase *OrdersController* dependerá de la *OrdersService* interfaz. Esta interfaz debe etiquetarse como *pública* porque están en paquetes diferentes. La interfaz *OrdersRepository* debe etiquetarse como *pública* también para que la clase *OrdersServiceImpl* pueda verla fuera del paquete del repositorio.

En una arquitectura con capas estrechas, las flechas de dependencia siempre apuntarán hacia abajo, con muchas capas que dependen solo de la siguiente capa inferior adyacente. Esto da como resultado la creación de un gráfico de dependencia agradable, ordenado y acíclico. Esto se logra simplemente importando algunas reglas que hablan de cómo los elementos de una base de código pueden depender entre sí. El principal problema con este método es que puede hacer algunas malas prácticas mediante la importación de algunas dependencias no deseadas, sin embargo, todavía desarrollar un gráfico de dependencia agradable y acíclico.

La mayoría de las veces, omitir la capa de lógica de negocios no es deseado. No es necesario omitir una capa de lógica de negocios. Ni siquiera lo pruebe con una lógica de negocios que sea responsable de garantizar el acceso autorizado a registros individuales. Con los trabajos de un nuevo caso de uso, tal vez el método de implementación será diferente de lo que esperamos. En la mayoría de los casos, lo que utilizamos es una directriz, un principio arquitectónico. Un principio que indicará que los controladores web nunca deben tener acceso directo a los repositorios. El principio ha existido durante un tiempo. El problema es su aplicación. Durante la investigación de este libro, conocí a algunos desarrolladores en línea. Algunos de ellos darán la excusa de que aplican el principio a través de una buena disciplina y revisiones de código porque confían en sí mismos. El aspecto de hablar es fácil, pero cuando se trata del presupuesto y los plazos, el aspecto de trabajo es hercúleo. Algunos desarrolladores dirían que utilizan herramientas de análisis estático, por ejemplo, Independo para comprobar e imponer automáticamente infracciones de arquitectura al principio. Estas reglas se muestran como expresiones normales o cadenas comodín que rigen el tipo de paquetes que tienen acceso y cómo se ejecutan después del paso de compilación.

Esta solución es buena. Te muestra a ti o a tu equipo cuando has violado el principio de arquitectura. Hemos visto dos tipos de paquetes hasta ahora: paquete por capa y paquete por componente. Estos dos paquetes tienen sus lagunas. Es por eso que tenemos el paquete por componente. Es un enfoque único para todo lo que hemos visto. Es la solución definitiva a todos los problemas que hemos estado tratando de evitar. Su objetivo es agrupar todas las responsabilidades relacionadas con un solo componente en un solo paquete. Habla más acerca de tomar un servicio centrado en un sistema de software. Esto es lo que se ve en las microarquitecturas. En el mismo método, los puertos y adaptadores administran la web como otro proceso de entrega, por lo que el paquete por componente trata los componentes. Este paquete separa la interfaz de usuario de los componentes de grano grueso. Este enfoque empaqueta la lógica de negocios y el código de persistencia en una entidad denominada componentes.

Un componente es un grupo de funciones relacionadas que admite una interfaz ordenada y agradable. Se pueden ver en un entorno de ejecución como una aplicación. Esta definición de componente proviene de un libro que leí sobre el modelo de arquitectura de software C4. Esta es una forma jerárquica de pensar en las estructuras estáticas de un sistema de software en términos de contenedores, componentes y códigos. Explica además que un sistema de software se compone de más de un contenedor, cada uno de los cuales también contiene más de un componente, que a su vez es implementado por uno o más código. Los contenedores mencionados en la última frase pueden ser una aplicación web, una aplicación móvil, una base de datos o un sistema de archivos. En Java, si cada componente existe en un archivo jar independiente es una preocupación ortogonal.

Una de las principales razones por las que a la gente le encanta usar paquete por componente es que cuando se escribe un código que tiene algo que ver con *los pedidos,* hay el único sitio para ir - el *OrdersComponent.* Dentro de este componente, la diferenciación de las preocupaciones se comprobará y mantendrá. De esta manera, la lógica de negocios se separa de la persistencia de datos. Los clientes no necesitan saber acerca de los detalles de implementación. Esto es importante para lo que usted podría terminar con si usted utiliza un micro-servicios o SOA. SOA, arquitectura orientada a servicios, es un *OrdersService* independiente que oculta todo lo relacionado con los pedidos. La principal diferencia entre un microservicio y SOA es el modo de desacoplamiento. Un componente bien definido en una aplicación monolítica puede servir como un trampolín para un diseño de microservicios.

Detalles de la implementación

Hemos hablado de diferentes métodos de organización del código. Pueden ser considerados como diferentes estilos arquitectónicos. Esta organización se dispersará si la implementa de manera incorrecta.

En Java, hay un abuso del uso de modificadores de acceso *público.* No te rías de lo que voy a decir. Los desarrolladores simplemente usan este modificador sin pensar en absoluto. Cualquier cosa pequeña, boom, lo han usado. Haga su investigación; usted confirmará lo que estoy diciendo. Lo usarán en cualquier lugar, ya sean capas horizontales, puertos y adaptadores, y capas verticales. Lo que puede hacer es etiquetar todos los tipos que desea usar como *públicos.* Esto le impedirá aprovechar las herramientas que su lenguaje de programación tiene sobre la encapsulación. En la mayoría de los casos, no hay absolutamente nada que le impida escribir código que cree una clase de implementación concreta directamente. Esto violará la estructura de la arquitectura principal.

Si finalmente etiqueta todos los tipos en un público de aplicación *Java,* los paquetes simplemente recurrirán a un mecanismo de organización en lugar de usarse para encapsulación. Los tipos públicos se pueden usar en cada punto de las bases de código. De esta manera, puede dejar de lado los paquetes de forma eficiente porque son parcialmente útiles. La razón por la que estoy sugiriendo que debe dejar ir los paquetes es que no afectará a la arquitectura que está creando.

Otros modos de desacoplamiento

Hay numerosas formas de desacoplar las dependencias del código fuente. En Java, hay marcos de módulos como OSGi y Java 9 sistemas de módulos. Cuando se utiliza un sistema de módulos con cuidado, puede conocer la diferencia entre los tipos que son *públicos* y los tipos que se publican. Por ejemplo, puede crear un módulo *Orders* y etiquetar todos los tipos como *públicos.* A continuación, solo se publica un pequeño conjunto de estos tipos para el consumo externo. Si está utilizando el sistema de módulos Java 9 se encargará de cómo construir un mejor software y le ayudará a construir un interés en el pensamiento de diseño.

Otro modo de desacoplamiento de las dependencias en el nivel de código fuente es dividir los códigos en diferentes árboles de códigos de origen. Ilustraré mi punto con un ejemplo que ya he utilizado en este capítulo. Con el ejemplo, podríamos tener tres árboles de códigos fuente, y son:

El código fuente de la web: *OrdersController*

El código fuente de persistencia de datos: *JdbcOrdersRepository*

Código fuente de la empresa y el dominio: *OrdersService, Orders* y *OrdersServiceImpl.* El negocio y el dominio significan todo lo que no depende de las opciones de tecnología y marco.

Los dos primeros códigos fuente tienen un tiempo de compilación y depende del código empresarial y de dominio. Como todo esto está sucediendo, el código de negocio y de dominio no sabe nada sobre la web o el código de persistencia de datos. Puede desacoplar esto configurando diferentes módulos o paquetes en la herramienta de compilación. Si lo hace continuamente, tendrá un árbol de código diferente para todos y cada uno de los componentes de la aplicación. Esta parece ser una solución perfecta.

Una solución sencilla que las personas usan para sus puertos y código de adaptadores es tener dos árboles de código fuente:

* Código de dominio (el interior)

* Código de infraestructura (el exterior)

Esta es también una solución perfecta. Pero tenga en cuenta que poner todo el código de infraestructura en un único árbol de código fuente es arriesgado. Esto puede desencadenar el código de infraestructura en un área de la aplicación para llamar directamente al código en un área diferente de la aplicación sin pasar por el dominio. Esto es válido si olvida aplicar modificadores de acceso adecuados al código.

Conclusión

El objetivo principal de este capítulo es iluminarte sobre lo que puede destruir tus diseños. Tal factor es la implementación. Debe saber cómo colocar el diseño deseado en la estructura de código, cómo organizar los códigos y qué modos de desacoplamiento debe utilizar durante el tiempo de compilación y en tiempo de ejecución.

Deje que algunas opciones estén abiertas cuando no pueda evitar la situación.

Si quieres formar equipo con las personas, considera el tamaño del tiempo que deseas, considera las habilidades de tus miembros también. Considere la solución que están trayendo a la mesa también. ¿Consume mucho tiempo o consume mucho tiempo? Debe tener en cuenta el compilador que le ayudará a mostrar el estilo arquitectónico que ha elegido. Tenga cuidado con el acoplamiento en áreas como modelos de datos.

Conclusión

Todo sobre este libro es sólo el camino básico para dominar las estructuras de software. Empezó con insinuarle lo que es la arquitectura limpia. En su viaje a ser un buen estudiante de este libro, aprendió que hay tres métodos en los que puede programar: programación estructurada, programación orientada a objetos y programación funcional. Estos paradigmas, cuando se combinan con los diferentes principios de diseño de software, dan una mejor comprensión.

Si lees este libro cuidadosamente con una mente que está lista para aprender, te darás cuenta de que el diseño del software es simple. Usted sería capaz de construir software con estructuras que pueden tolerar cambios y fácil de entender. Habrías aprendido acerca de las violaciones de los principios y habrías podido evitarlos durante tu proyecto. Por cada violación, las soluciones fueron discutidas en este libro.

Los arquitectos de software diseñan un sistema para que sea comprensible y desarrollable. Esto implica que la arquitectura de un sistema debe apoyar el objetivo real del sistema. Un arquitecto de software debe saber cómo y cuándo establecer un límite entre los componentes. Hay diferentes límites que puede usar.

Las políticas de software son importantes para que le ilumine cuándo implementarlas. Sus políticas no deben contradecir el propósito de las reglas de su negocio. División de los componentes del sistema en anillos: anillo interior y exterior facilita la estructura del software. Familiarícese con la forma en que organiza sus datos en su diseño.

Los primeros cuatro capítulos explicaron los principios que debe atenerse para entregar un gran software, los siguientes once capítulos fueron sobre arquitecturas de software, y el último tema que se tocó en el libro fue muy crítico - el tema trató la implementación de Códigos.

Después de leer y seguir todas las instrucciones escritas en los capítulos debidamente, usted está listo para ir. ¡Salud!

Recursos

Robert C. Martin, 2017. *Arquitectura limpia: Una guía del artesano para la estructura d*el diseño del software. Publicación De Prentice-Hall.

https://www.raywenderlich.com/3595916-clean-architecture-tutorial-for-android-getting-started

https://www.oreilly.com/library/view/clean-architecture-a/9780134494272/ch25.xhtml

https://www.freecodecamp.org/news/a-quick-introduction-to-clean-architecture-990c014448d2/

https://proandroiddev.com/a-guided-tour-inside-a-clean-architecture-code-base-48bb5cc9fc97?gi=9fb435d3ad93

https://android.jlelse.eu/a-complete-idiots-guide-to-clean-architecture-2422f428946f

https://github.com/reyou/Ggg.Architecture/wiki/Clean-Architecture

https://www.oreilly.com/library/view/clean-architecture-a/9780134494272/ch18.xhtml

https://www.goodreads.com/author/quotes/45372.Robert_C_Martin?page=3

https://blog.eriksen.com.br/books/robert-martin-clean-architecture

https://www.laracasts.com/series/solid-priciples-in-php

https://www.wikipedia.org/

https://kuntalchandra.wordpress.com/2018/08/20/solid/

https://www.javaguiders.net/2018/02/open-closed-priciple.html

https://www.blog.ndepen.com/solid-design-the-open-close-priciple.otp/

https://www.javabrahman.com/programming-principles-closed-priciple-with-examples-in-java

www.codeprojectg.com/Articles/838975/How-to-Become-Web-Developer-part-object-Oriented

CPSIA information can be obtained
at www.ICGtesting.com
Printed in the USA
LVHW081929120123
736824LV00008B/207